PASAJERO 21
EL JAPÓN DE TABLADA

MUSEOS Y GALERÍAS

Primera edición *Pasajero 21. El Japón de Tablada*, 2019

Producción
Secretaría de Cultura
Instituto Nacional de Bellas Artes y Literatura

Miguel Fernández Félix / Coordinación general
Evelyn Useda Miranda, Lizbeth Sánchez Ayala, Mariana Casanova Zamudio
/ Concepto y coordinación editorial
Lizbeth Sánchez Ayala, Karen Janeth Delgado Rodríguez
/ Investigación iconográfica
Amira Candelaria Webster / Corrección de estilo
José Luis Lugo / Diseño
A. Andrés Monroy / Preprensa

D.R. © 2019 *Pasajero 21. El Japón de Tablada*
Instituto Nacional de Bellas Artes y Literatura / Museo del Palacio de Bellas Artes
Paseo de la Reforma y Campo Marte s/n, colonia Chapultepec Polanco,
alcaldía Miguel Hidalgo, C.P. 11560, Ciudad de México

ISBN: 978-607-605-603-5

Impreso y hecho en México

MUSEO DEL PALACIO DE BELLAS ARTES

PASAJERO 21
EL JAPÓN DE TABLADA

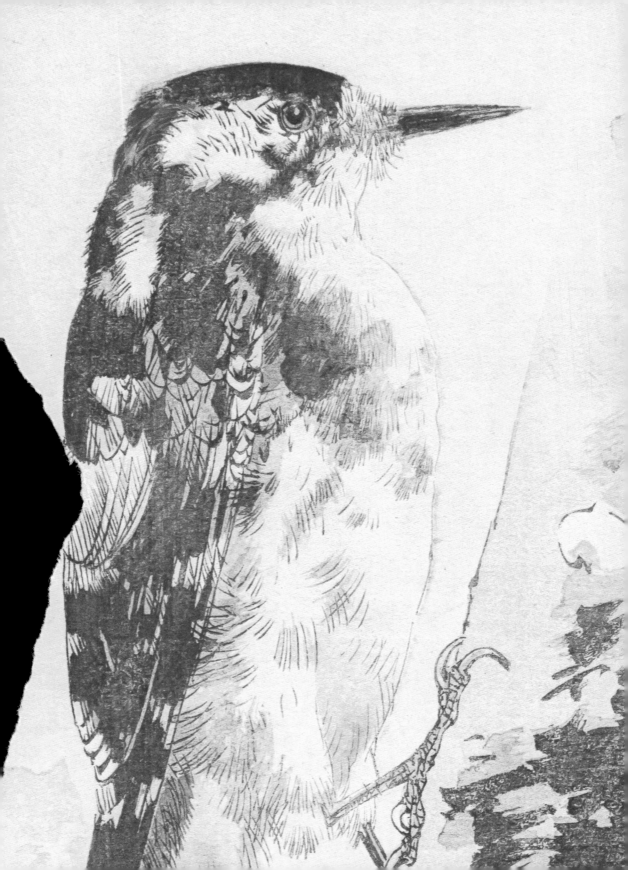

ÍNDICE

El nombre de José Juan Tablada está inscrito en la historia de la cultura de México. Publicó crónica y poesía en las primeras revistas literarias del país; su pluma joven, ágil y sensible, encontró vida en las páginas de los periódicos nacionales e internacionales; fue un estudioso de las culturas asiáticas y europeas, que ilustraron su voz poética.

El "poeta representativo de la juventud", como se le conoció a Tablada, fue un hombre para el mundo, explorador de tradiciones, que descubrió y admiró en sus viajes la sensibilidad ancestral de cada pueblo. Sus travesías y encargos diplomáticos lo llevaron a Estados Unidos, Francia, Colombia y Japón, y fue en el archipiélago asiático donde pudo enfrentarse a la cultura que tanto había estudiado.

A José Juan Tablada se le atribuye haber introducido en México el haikú; el poeta adoptó la forma y la hizo parte de nuestra tradición literaria. "Viva, irónica, concentrada como una hierba de olor, [la poesía de Tablada] resiste todavía a los años y a los gustos cambiantes de la hora", escribió Octavio Paz, quien admiró la forma japonesa y disfrutó esa síntesis de las ideas y palabras. Tablada fue embajador de la cultura japonesa en nuestro país durante la primera mitad del siglo xx, labor de amistad que las representaciones de Japón en México reconocieron.

Pasajero 21. El Japón de Tablada es una muestra que ofrece la oportunidad de admirar las poco conocidas acuarelas realizadas por Tablada, así como la importante colección de arte japonés que reunió a lo largo de su vida; obras y escritos resguardados por la Biblioteca Nacional de México, la Biblioteca Rubén Bonifaz Nuño del Instituto de Investigaciones Filológicas de la unam y la Biblioteca de México, instituciones que se suman a esta muestra.

La Secretaría de Cultura, a través del Instituto Nacional de Bellas Artes y Literatura y del Museo del Palacio de Bellas Artes, brinda al público la oportunidad de descubrir a partir de la sensibilidad de un poeta mexicano la riqueza cultural de Japón. Agradecemos el compromiso y la generosidad de la Universidad Nacional Autónoma de México, El Colegio de México, la Embajada de Japón en México, la Fundación Japón, la Fundación Mary Street Jenkins y la Asociación de Amigos del Museo del Palacio de Bellas Artes, para dar vida a esta exposición. Con esta muestra, la suma de voluntades y trabajo transversal convocado por la Secretaría de Cultura del Gobierno de la República, refrendamos el compromiso por documentar y difundir la obra de los creadores de nuestro país y mostrarla a las nuevas generaciones.

José Juan Tablada, uno de los grandes exponentes de la literatura mexicana, definió así su visión del arte:

Hay quien lo cree estático y definitivo; yo lo creo en perpetuo movimiento y en continua renovación como los astros y como las células de nuestro cuerpo mismo. La vida universal puede sintetizarse en una sola palabra: movimiento. El arte moderno está en marcha, y dentro de él la obra personal lo está también sobre sí misma, como el planeta, alrededor del sol.

Alejandra Frausto Guerrero
Secretaria de Cultura

J osé Juan Tablada protagoniza el tránsito hacia la modernidad y las vanguardias. Periodista, escritor, editor, crítico y poeta, sembrador de palabras, es quizá uno de los principales amantes de la cultura japonesa y a quien debemos su presencia en las artes de México.

Uno de los rasgos distintivos de la modernidad artística —y de la modernidad en general— es la apertura al exterior, en cualesquiera de las disciplinas de que se trate. Dicha apertura incluye tanto las nuevas expresiones como la tradición que las sustenta y que, en cada caso, serán procesadas y asimiladas por quienes las adopten.

Japón puede brindarnos un buen ejemplo de ello: su estampería, un género que se remonta a varios siglos, influyó en los artistas más aventajados que se dieron a conocer en Occidente entre las postrimerías del xix y los albores del xx. Vincent van Gogh decía envidiar a los japoneses, que hacían una figura con un par de trazos seguros, "como si fuera tan sencillo como abotonarse el chaleco".

El influjo del arte japonés no nos fue ajeno. Un entusiasta promotor de sus valores en México fue precisamente José Juan Tablada, quien llevó su entusiasmo hasta su propio dominio —la poesía—, en el que dejó un testimonio que no han cesado de recibir con agrado y provecho las sucesivas generaciones de lectores: sus haikú.

La pasión de Tablada por la cultura y las artes visuales japonesas se manifestó en múltiples ocasiones; en una de ellas elaboró una especie de programa de difusión —"Álbum del Extremo Oriente"—, que habría de desarrollarse a través de las páginas de la *Revista Moderna*:

> Procuraremos evadir las arideces de un estudio demasiado técnico y dar variedad a los capítulos, cosa nada difícil, pues en el Japón

por todas partes brotan veneros de belleza y el arte se revela en todos los actos de la vida de ese gran pueblo artista. Así en un capítulo diseñaremos las siluetas de los grandes maestros primitivos, Kanaoka, Matahei y los Kano; en otros hablaremos de las mil prodigiosas aplicaciones que del bambú hace el Japón; el siguiente estudio tratará del guardarropa feérico y suntuoso de una hermosura de las "Casas Verdes" y, en fin, no desdeñaremos hablar ni de la jardinería y el arte de hacer búcaros, toda vez que ambas cosas están en el Imperio del Sol elevados a la categoría de verdaderas artes.

Pasajero 21. El Japón de Tablada presenta al público del Museo del Palacio de Bellas Artes, por primera vez, una muestra de la colección de estampas japonesas que reunió el poeta y crítico de arte, así como de su archivo y biblioteca, a la vez que abre una revisión de los alcances de su desempeño en pro del conocimiento y disfrute del arte de Japón en nuestro país, y de la respuesta que obtuvo de los creadores mexicanos.

En 1978, Octavio Paz se refirió a "una tradición mexicana viva" desde finales del siglo XIX: "la renovada tentativa de los artistas y escritores por abrir ventanas para que penetre en nuestro cerrado país un poco de aire de otras tierras y un poco de luz de otros mundos". Entre aquéllos estuvo siempre José Juan Tablada.

El Instituto Nacional de Bellas Artes y Literatura reitera su reconocimiento a las personas e instituciones que contribuyeron para hacer posible esta exposición que enriquece la mirada de la diversidad subyacente en nuestra historia cultural y que muestra los vínculos que nos unen con el país donde nace el Sol.

Lucina Jiménez
Directora general
Instituto Nacional de Bellas Artes y Literatura

Para comenzar un nuevo siglo es necesario crear una nueva sensibilidad. En el paso del siglo xix al xx los intelectuales abocados a esa búsqueda habían encontrado en Rubén Darío la piedra de toque de un mundo distinto en el terreno poético latinoamericano. Como toda propuesta renovadora, tenía sus riesgos, sus extravagancias, pero en general apostaba por la belleza y el cuidado de las formas, por la musicalidad y el retrato del entorno. Había que renovar la métrica lírica y el impulso poético; tratar lo nuestro con un refinamiento peculiar, trabajado y cosmopolita.

Situándonos en esa sensibilidad es como podemos imaginar el japonismo de un modernista. José Juan Tablada emprende su viaje al entonces lejanísimo Japón varios años antes de que pueda consumar su viaje físico a esas tierras. A través de una investigación profunda, consigue documentarse hasta ver en el arte japonés la refinación buscada. Sus hallazgos no pertenecen más al exotismo finisecular; es un poeta, un cronista y un coleccionista que sabe encontrar a su alrededor, tanto como del otro lado del mundo, una voz que hará propia. Por una parte, se trata de un interés personal sincero y, por otra, de una declaratoria de universalidad, de un trabajo que pasa principalmente por Francia a través de Pierre Loti y de los hermanos Goncourt, y también de autores expertos en Japón como el grecoirlandés Lafcadio Hearn, entre otros, y que culmina con el viaje del joven Tablada a ese país.

Es de especial interés para el Museo del Palacio de Bellas Artes mostrar y difundir el papel de este poeta de ímpetu moderno para contribuir con una pieza más a la historia del arte en nuestro país, ya que Tablada fue uno de los personajes enfocados en dar movimiento al cambio artístico y cultural de la época posrevolucionaria en búsqueda de concepto de nación, a través de la apertura a nuevas formas y contenidos centrados

en nuestros paisajes, temas y atmósferas mexicanas, tomando como referente de Japón la sensibilidad, la belleza del instante y la síntesis de la palabra y la imagen. De gran importancia, por ejemplo, el impulso que dio a aquellos pintores en los que percibía esa sensibilidad reflejada en la representación del paisaje moderno, como es el caso de Jorge Enciso, José Clemente Orozco y Alfredo Ramos Martínez.

Considerado como uno de los maestros del grupo Contempóraneos —del cual este recinto realizó un homenaje a su trayectoria y herencia con la muestra *Los Contemporáneos y su tiempo*—, al introducir el haikú en la poesía hispanoamericana José Juan Tablada brindó en el campo literario la frescura y el poder de concentración de la palabra a esa generación de jóvenes decididos a romper con la tradición. Como Octavio Paz explica "Tablada introduce en lengua española el haikú japonés […] Esa forma dio libertad a la imagen y la rescató del poema con argumento, en el que se ahogaba. Cada uno de estos pequeños poemas era una pequeña estrella errante y, casi siempre, un pequeño mundo suficiente".

En este sentido, *Pasajero 21. El Japón de Tablada* pretende mostrar esta faceta del escritor a partir de su poco explorada relación con las artes visuales japonesas. La selección de piezas artísticas e impresos bajo la mirada curatorial de Amaury A. García Rodríguez, entre las que destaca la colección de estampas japonesas de Tablada, así como el conjunto de obras reunido por Luis Rius Caso de los artistas mexicanos que Tablada admiraba más por su cercanía con la estética nipona, nos muestran la profundidad y el empeño del escritor en torno al arte japonés, un interés que marcó su vida y que fue noticia en ese último periodo del porfirismo mexicano. Sus hallazgos se plasmaron en artículos para la *Revista Moderna*, una publicación que definió una época y que retrató el tránsito de México hacia el siglo xx.

Después de haber tenido un destino azaroso, parte de la colección y biblioteca de Tablada afortunadamente ahora es resguardada, entre otros fondos, por la Biblioteca Nacional de México, la Biblioteca Rubén Bonifaz Nuño del Instituto de Investigaciones Filológicas y la Biblioteca de México, grandes aliados de esta muestra. La colección merece ser observada y estudiada a la par de sus textos críticos, tanto para homenajear al escritor de haikús y caligramas como para hacer partícipe a un amplio público del arte asiático que apasionó a uno de los intelectuales mexicanos más importantes del siglo pasado.

Este esfuerzo no habría sido posible sin las personas e instituciones que acompañaron al Museo del Palacio de Bellas Artes en su realización. Agradecemos a la Universidad Nacional Autónoma de México, responsable de resguardar nuestro patrimonio bibliohemerográfico, a El Colegio de México, a la Biblioteca de México, a la Embajada de Japón en México, y a la Fundación Japón. Asimismo, nos complace la colaboración con la Coordinación Nacional de Literatura, alianza que esperamos sea constante en cada exposición.

Finalmente, una mención especial merece la Fundación Mary Street Jenkins por su firme apoyo en cada muestra presentada en el Museo del Palacio de Bellas Artes, principalmente en la publicación que la acompaña, por su compromiso con la difusión del arte y la cultura en México.

Miguel Fernández Félix
Director
Museo del Palacio de Bellas Artes

L a Fundación Mary Street Jenkins, durante su labor de ya poco
más de sesenta años, ha apostado por la difusión del arte y la
cultura en México, principalmente por la convicción de que estas
expresiones repercuten de manera permanente en la educación
de la población y en su cosmovisión. Por esta razón, su fundador,
Guillermo Óscar Jenkins, trabajó por dejar un legado enfocado
en la búsqueda del bienestar multidimensional de las personas,
logrado sólo a través del cuidado mental, físico y emocional.

La Fundación mantiene su compromiso con aquellas instituciones que aportan su granito de arena a este propósito. Entre
ellas podemos contar al Museo del Palacio de Bellas Artes, recinto que, con su trayectoria artística y siendo en este momento un escenario importante del arte en México, continúa cum-
pliendo con el objetivo de brindar al público mexicano lo mejor
del panorama artístico nacional e internacional al fungir como
centro irradiador de las artes visuales.

En esta ocasión, la muestra *Pasajero 21. El Japón de Tablada*
explora la relación de este gran poeta y cronista con las artes
visuales de ese país asiático. Su labor literaria relacionada con
la cultura japonesa ha sido abordada por diversos investigadores; sin embargo, hasta este momento, no se ha profundizado
todavía en la influencia del arte japonés —específicamente de
las estampas *ukiyo-e*— respecto de la concepción que el autor
se formó sobre la cultura nipona. Tanto el libro como la exposición pretenden ser el primer acercamiento a esta relación. A
través de las investigaciones de los autores, de las crónicas de
Tablada acerca de su viaje al País del Sol, sus fuentes bibliográficas, pero sobre todo de su colección de estampas *ukiyo-e*, sus
dibujos y acuarelas, y de su libro *Hiroshigué...*, el lector podrá

tener un panorama completo de la labor de José Juan Tablada como promotor del arte japonés y como impulsor de artistas mexicanos en los que notaba la sensibilidad japonesa del instante, de la búsqueda por la representación del paisaje propio en un acto estético moderno.

De esta manera, el programa editorial del Museo del Palacio de Bellas Artes, patrocinado por Fundación Mary Street Jenkins, será un referente que continuará impulsando la investigación y el desarrollo del arte, la cultura y la educación en nuestro país. Gracias a estos testimonios impresos se hará posible la permanencia de los proyectos expositivos al documentar todos y cada uno de ellos.

Fundación Mary Street Jenkins

くのさめろん
もその女の
ふようて子
きられい妾を
て
麻のゑざーん
をすとむ笑か

JOSÉ JUAN TABLADA Y JAPÓN

Rodolfo Mata

Retrato a partir de una reminiscencia

J osé Juan Tablada (1871-1945) inicia el primer volumen de sus memorias, *La feria de la vida*,[1] con un recuerdo de infancia. A la edad de tres años, la diligencia en la que iba con su madre y un tío rumbo a Mazatlán, por el camino de Acapulco, "el viejo camino real para los mercaderes de las naos de China", hizo un alto para descansar. El poeta describe la escena como una reminiscencia sensorial indeleble:

> Estoy dentro de una esmeralda —bajo el follaje de los árboles bañados de sol—, esmeralda que sin perder su color reflejara tonos de ámbar, de turquesa y de naranja. Así se sintetiza en el recuerdo el paisaje del trópico, ¡como una esmeralda dentro de la cual yo vivo y vibro deslumbrado! Mi primera sensación es el sabor del agua tras de la jornada calurosa. Alguien acerca a mis labios una rústica jícara llena de agua clara y fresca, pero que bajo los árboles es esmeralda líquida... Bebo en ella ávidamente, aspirando el grato olor húmedo y frutal del calabazo y saboreando con adámica integridad el líquido que me desaltera...[2]

La intensidad de la impresión visual que Tablada experimenta nos habla de varios aspectos fundamentales de su personalidad artística: su gran sensibilidad para la apreciación de las artes plásticas, sus habilidades como pintor —que por diversas causas no tuvieron un desarrollo profesional— y su destreza en el manejo literario de la imagen, que lo convertiría en la principal figura de transición de la poesía moderna en México, al lado de Ramón López Velarde.

Otros elementos importantes de su trayectoria literaria y vital se manifiestan en esta breve imagen esmeraldina y su contexto. Su experiencia "oriental" aparece prefigurada retrospectivamente en la mención de las naos de China y continúa, en el siguiente párrafo, donde observa que el jacal del paradero no es muy diferente de las chozas que dibujó el pintor japonés Hiroshige en su serie *Las 53 estaciones de Tōkaidō*, antiguo camino imperial que unía las ciudades de Tokio y Kioto bordeando el litoral.[3] Su legendario viaje a Japón aparecerá mencionado más adelante en diversos pasajes.

La idea de sintetizar el paisaje del trópico remite a su corta pero intensa estancia en Sudamérica como parte del cuerpo diplomático del gobierno de Venustiano Carranza. Tablada concibió y concluyó *Un día… Poemas sintéticos*,[4] su primer libro de haikús, en la estación veraniega La Esperanza, enclavada en los húmedos valles de las montañas colombianas, e inició ahí también la composición del segundo volumen de este género, *El jarro de flores. Disociaciones líricas*,[5] que vería la luz ya en la ciudad de Nueva York. El haikú "Hotel 'La Esperanza'", incluido en este último libro, ofrece otra imagen en que brilla la luz verde del trópico: "En un mar de esmeralda / Buque inmóvil / Con tu nombre por ancla".

La visión del poeta vibrando deslumbrado dentro de una esmeralda y recibiendo destellos de turquesa, ámbar y naranja también recuerda la pasión modernista por las piedras preciosas, a las que Tablada dedicó el poema "Canción de las gemas". El agua color esmeralda dentro de la jícara también evoca el ajenjo, la bebida psicotrópica conocida como "El Hada Verde" y consumida por algunos modernistas decadentistas, grupo en el cual Tablada tuvo un papel protagónico, como cultivador de una sensualidad y un erotismo mórbidos y sacrílegos, bajo la influencia de Baudelaire y otros poetas simbolistas franceses, en el clima del *spleen* finisecular que éstos difundieron. En el poema "Versos y flores", esta bebida aparece como emisaria y cómplice de lubricidades: "En la nerviosa noche de la orgía / vierte sus esmeraldas el ajenjo", líneas que traen a la memoria tanto el escándalo y la polémica literaria que Tablada suscitó, en enero de 1893, con su famoso poema "Misa negra",[6] como su afición a los paraísos artificiales, que lo llevó a permanecer por

José Juan Tablada (1871-1945)
El jarro de flores. Disociaciones líricas
[ilustraciones de Adolfo Best Maugard],
1922
Fig. 54

José Juan Tablada
La Esperanza, 25 de abril de 1919
Fig. 32

voluntad propia varias semanas en el Hospital de San Hipólito, entre septiembre y octubre de 1895, para recuperarse de una intoxicación por morfina. La polémica del decadentismo —que tuvo un segundo momento en 1897— dio un primer impulso al proyecto de la famosa *Revista Moderna* (1898-1903) —en el cual Tablada participó de manera activa—, publicación que desempeñó un papel decisivo en la transformación del panorama literario del país e influyó fuertemente en el ámbito hispanoamericano.

No es descabellado suponer que Tablada le confería una carga simbólica a la imagen de la esmeralda pues, para las fechas en que publicó ese fragmento inicial de sus memorias, ya se encontraba inmerso por completo en sus estudios espiritualistas y teosóficos, asunto explícito en el prólogo a ellas. La esmeralda es considerada un talismán contra los poderes maléficos. Simboliza el renacimiento, la pureza y la fe en la inmortalidad, y confiere, a los nacidos bajo su signo, entre otras cosas, éxito intelectual y habilidad para la escritura. La esmeralda es la piedra de Hermes, mensajero de los dioses, y supuestamente la Tabla Esmeralda encerraba el secreto de la creación de los seres. El Santo Grial estaba tallado en una esmeralda y la acción de beber, en el contexto de la escena, puede sugerir la aspiración a la inmortalidad del escritor que inicia la redacción de sus memorias.

Indirectamente, ese fragmento también remite a otra faceta fundamental del itinerario artístico de Tablada: su prolongada estancia en Nueva York, de 1920 a 1936. Durante ella, dio forma a los capítulos de sus memorias, los cuales empezaron a aparecer en *El Universal*, a finales de enero de 1925, a la par que continuaba enviando al mismo periódico sus crónicas sobre los acontecimientos en la gran urbe estadounidense, que fueron publicadas en la columna "Nueva York de día y de noche" (1924-1934). El periódico *Excélsior* también recibió colaboraciones suyas que integraron, entre otras, las columnas: "Nueva York múltiple" (1921-1923), "Las horas neoyorkinas" (1923-1924) y "Horas neoyorkinas" (1936). A la tensión que surgía entre la vida mundana y cosmopolita de aquella ciudad y los recuerdos del México porfiriano —que generaba un sentimiento mixto de nostalgia y desarraigo— se sumó una voluntad nacionalista que se concretaría más tarde en obras como *La resurrección de los ídolos: novela americana*,[7] *Historia del arte en México*[8] y *La feria (poemas mexicanos)*.[9] Tablada regresó a la Ciudad de México en el verano de 1936, se estableció de manera temporal en la Colonia del Valle y ese mismo año, en busca de menos altura y más tranquilidad, se mudó a Cuernavaca, donde residió hasta agosto de 1944, cuando resolvió regresar a Nueva York.

La personalidad multifacética de Tablada no se limitó al conjunto de aspectos que se desprenden de la imagen esmeral-

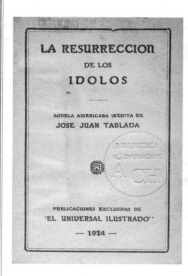

José Juan Tablada
La resurrección de los ídolos: novela americana, 1924
Fig. 58

José Juan Tablada
Historia del arte en México, 1927
Fig. 55

José Juan Tablada
La feria (poemas mexicanos) [ilustración de portada de Miguel Covarrubias], 1928
Fig. 57

dina que preside el inicio de sus memorias. Además de poeta modernista y vanguardista, de historiador y crítico de arte, cronista, teósofo y pintor, fue también novelista, cuentista, coleccionista de arte asiático y moderno, de piezas arqueológicas prehispánicas y grabados antiguos, diplomático, jardinero, gourmet, promotor de artistas plásticos, librero, defensor de los animales, entusiasta del deporte (practicó el box, el *jiu-jitsu* y la natación) y naturalista aficionado (dejó inédito un libro sobre hongos comestibles mexicanos, hoy publicado).[10] Estuvo no sólo en Estados Unidos, Japón y Sudamérica, sino que visitó París en dos ocasiones (1903 y 1911-1912) y pasó en Cuba algunas temporadas, ya que Eulalia Cabrera Duval, "Nina", su segunda esposa, era originaria de la isla.

Tablada fue testigo del advenimiento del México moderno. Vivió el esplendor y el ocaso de la *belle époque* mexicana, que presidió Porfirio Díaz, a quien elogió en *La epopeya nacional* (1909). Fue testigo de los inicios del proceso revolucionario, con la caída y asesinato del presidente Francisco I. Madero —cuya figura denigró en la tragicomedia *Madero-Chantecler* (1910)— y la usurpación del poder por Victoriano Huerta, con quien colaboró y a quien elogió en *La defensa social. Historia de la campaña de la División del Norte* (1913). También contempló la paulatina estabilización del país, desde el extranjero, durante los

gobiernos de Venustiano Carranza —de quien obtuvo el perdón—, Álvaro Obregón, Plutarco Elías Calles, Pascual Ortiz Rubio, Abelardo Rodríguez y parte del de Lázaro Cárdenas; y desde Cuernavaca, durante el resto de la gestión de este último y parte de la de Manuel Ávila Camacho. Tablada observó de cerca los grandes cambios que atravesó Estados Unidos bajo los gobiernos de Woodrow Wilson, Warren Harding, Calvin Coolidge, Herbert Hoover y Franklin D. Roosevelt. Su exilio inicial en dicho país —que coincidió con el desarrollo de la Primera Guerra Mundial— y su estancia posterior en Nueva York corrieron a la par de fenómenos como el auge económico de la década de 1920, el surgimiento de poderosos capitales, los problemas de la distribución de la riqueza, el peligro de los monopolios, la crisis laboral de la llamada Gran Depresión, el *crack* financiero de 1929, la Prohibición, el gangsterismo, el tráfico de alcohol, el New Deal, la política exterior del Big Stick y los problemas de armamentismo ventilados en la Liga de las Naciones. Espíritu inquieto, ávido de novedad y aventura, Tablada supo acompañar con su actividad literaria y periodística el ritmo vertiginoso de una época en que México y el mundo se transformaron de manera radical. Murió en Nueva York en agosto de 1945. Sus restos descansan en la Rotonda de las Personas Ilustres, en el Panteón de Dolores.

El japonismo de Tablada

La iniciación japonista de Tablada se remonta a los primeros años de su carrera literaria, según anotó Atsuko Tanabe en *El japonismo de José Juan Tablada*,[11] el primer estudio panorámico de esta vertiente del escritor mexicano. Aunque Tablada sitúa románticamente el inicio de su fascinación por Oriente en su primer viaje a Mazatlán, como mencioné al principio, la primera prueba fehaciente la ubica Tanabe en la traducción titulada "Una novela japonesa" de Judith Gautier, publicada en febrero de 1891, a la que siguió "El arte japonés", de los hermanos Edmond y Jules de Goncourt, que apareció en julio del mismo año, ambas en *El Universal*, periódico donde inició su carrera literaria en 1890. Los primeros textos de creación que revelan influencia de la temática japonesa son los poemas "Nirvanah" y "Kwan-on",[12] publicados en julio y agosto de 1893, en *El Siglo XIX*, y no incluidos por el autor en su primer volumen de poemas *El florilegio* (1899). La reedición de 1904, corregida y aumentada de 33 a 84 poemas, contendrá, entre sus nuevas secciones, la titulada "Musa japónica", en la que figuran, entre otros poemas, varias "paráfrasis de poetas japoneses".

Tanabe señala este comienzo y realiza un análisis de la producción poética de Tablada sobre este tema hasta 1900, año de su viaje a Japón, subrayando como característica dominante el exotismo decorativo al estilo Pierre Loti, que sólo cederá ante una visión más depurada y realista en sus crónicas de la serie "En el país del sol" (1900-1901). También recoge el testimonio de Tablada que reconoce que Pedro de Carrère y Lembeye —diplomático español de origen andaluz— fue quien lo inició en las "difíciles técnicas de las artes e industrias del extremo oriente".[13] Sin embargo, Tanabe no menciona la fecha aproximada de este encuentro, que logró ubicarse gracias a la anotación del Archivo Gráfico de José Juan Tablada.[14] En 1893, Tablada copió o imitó con tinta, lápiz o acuarela, algunas ilustraciones japonesas, como la escena que él anota como la salida del Mikado, de un biombo propiedad de Carrère y Lembeye, fechada en noviembre de 1893 (p. 76). Atsuko Tanabe tampoco registra la compra que Tablada hizo, en 1913, de una importante colección de libros japoneses que poseía el diplomático español, pues cuando escribió su estudio, el diario del autor probablemente no estaba disponible para consulta. Dicha colección estaba integrada por 212 ejemplares, con la particularidad de que cada volumen estaba traducido y anotado por su sabio propietario, e incluía, entre otros títulos: una edición original del *Gafū* de Hokusai, un precioso libro de Kiyonaga, un *meisho* (álbum de paisajes célebres) y el *Zenken Kojitsu* de Yōsai.[15] Actualmente es posible encontrar algunos libros de esta colección en el Fondo Reservado de la Biblioteca Nacional de México.

Varias otras imágenes del Archivo Gráfico son de tema japonés y anteriores a 1900. Esto corre a la par de la constatación de que Tablada incluye elementos de la cultura japonesa en más crónicas que las que Atsuko Tanabe cita en su estudio, pues la investigadora se centró en la producción poética y en el libro

En el país del sol (1919). Es lógico que esto sucediera así, pues ella no contaba con guías bibliográficas como el *Catálogo de los artículos de José Juan Tablada* de Esperanza Lara Velázquez, ni con los nuevos hallazgos de la columna "Notas de la Semana", que Tablada publicó entre 1897 y 1900, en *El Nacional*, donde el autor con frecuencia incluye comentarios en los que exhibe sus conocimientos sobre la cultura japonesa y da noticia del interés que ésta despertaba entre el público.[16] Seguramente la revisión minuciosa de la prosa tabladiana publicada entre 1900 y 1914 ayudará a trazar un mejor mapa del japonismo del autor que, después de esas fechas, se fue diluyendo y asimilando a las formas de su producción poética.

Tablada viajó a Japón en 1900, financiado por Jesús E. Luján, mecenas de la *Revista Moderna*. Salió de la capital en tren rumbo a San Francisco el 14 de mayo y de ahí se embarcó a Yokohama el 15 de junio. Durante su estancia escribió la mencionada serie de crónicas publicadas en *Revista Moderna* —que posteriormente reorganizó en el libro *En el país del sol*—, y para enero de 1901 ya se encontraba de vuelta en la Ciudad de México. La veracidad de este viaje fue motivo de controversias entre sus contemporáneos. Jesús E. Valenzuela, director de la *Revista Moderna*, relata en sus memorias que Julio Ruelas "opinaba que no había pasado de San Francisco", pero en el mismo párrafo refiere que el poeta "se estableció en Yokohama y visitó de paso Tokio" y "me envió varias correspondencias". Aunque Valenzuela reconoce que Tablada no "poseía" el idioma japonés (y lo confirmó preguntándole al canciller de la legación japonesa, quien le respondió que sólo conocía "unas cuantas palabras"), en su opinión eso no quitaba que sus traducciones fueran muy bellas. "Volvió del Japón por nostalgia", agrega, "y hubo que mandarle dinero por telégrafo para su regreso".[17] ¿De dónde venían las correspondencias y a dónde se realizó el envío? ¿No sería el director de la publicación el primero en darse cuenta de cualquier engaño? Desafortunadamente, el archivo de la *Revista Moderna*, donde tal vez se hallaría la correspondencia, fue destruido.[18]

Federico Gamboa, otro de sus contemporáneos, en agosto de 1910 escribe en su diario que Tablada "anduvo una corta temporada por la poética patria de los samurai, aunque algunos incrédulos y maleantes aseguren que nunca estuvo en la tierra del Sol Levante", y enseguida afirma: "Yo sí lo creo, pues de otra suerte, ni con el mucho talento que lo distingue ni sus muchas lecturas, podría hallarse tan al cabo, según se halla, de letras, literatos, costumbres y paisajes de allá".[19] Ciro B. Ceballos, en sus memorias, retrata a Tablada hablando de pintores, poetas y ceramistas japoneses con tal desmedida insistencia, que desemboca en la justificación de que sus amigos lo hayan apodado "Bonzo". Sin embargo, si su sueño parecía ser realizar un viaje a Japón en la primera oportunidad que se presentara, continúa Ceballos,

José Juan Tablada [ilustración de portada y texto] "En el país del sol", *Revista Moderna*, 1ª quincena de septiembre de 1900 Cat. 86

cuando Jesús E. Luján se lo propuso, titubeó y postergó la decisión hasta que tuvo que emprender la marcha "aunque para ello necesario fuese conducirlo a la estación, como sucedió, pues de otra manera no hubiera acaso abordado el tren". Ceballos continúa con su ironía y caricatura relatando que al poco tiempo de haber llegado a la "exótica tierra", donde Luján quería que permaneciera un año para estudiar la cultura, comenzó a escribirle "a su mecenas, pidiéndole su reintegración a la patria madre", petición secundada por la hermana del poeta. Luján, fastidiado, accedió, y el "desencantado turista" por compromiso escribió artículos relatando su "cinematográfica excursión a un país, al cual, seguramente, no le habían quedado deseos de volver". Es verdad que Tablada no regresó a Japón y que sus crónicas son líricas, muy visuales y panorámicas. Pero si calificarlas de "cinematográficas" va encaminado a reforzar la imagen de Tablada como *bon vivant* fanfarrón que no cumplió con la tarea encomendada, Ceballos nunca niega que Tablada haya realizado el viaje.[20]

El estilo de las crónicas japonesas de Tablada, además de dar pie al reproche que le hace Ceballos de no haber cumplido el encargo de Luján, ha servido de argumento para proponer que esos escritos fueron fruto de la prodigiosa e informada imaginación del poeta. A la vez que se elogia su destreza literaria, se condena su mentira: Tablada es un embustero genial porque supo pintar lo que jamás vio. Esto implica también que el viaje no tuvo el efecto propuesto por Tanabe de marcar, por la vía de la experiencia testimonial, un cambio del dominante exotismo decorativo al estilo Pierre Loti hacia "una visión más depurada y realista". Por ello, Jorge Ruedas de la Serna, al sugerir una lógica para la organización del libro *En el país del sol*, subraya el "timbre poético" de la obra, en que distingue una primera parte "descriptiva" pero con "*función* más testimonial" (las cursivas son mías) y una segunda que "es pura literatura, es invención".[21]

Otra fuente de suspicacias acerca de la veracidad del viaje de Tablada es el nivel de sus conocimientos del idioma japonés. Si en sus primeros envíos de poesía japonesa publicados en *Revista Moderna* —"Cantos de amor y otoño (paráfrasis de poetas japoneses)" y "Utas japonesas"— no se aclara la ruta que siguió en la traducción o quizás se evade el tema, en "El manto de la penitencia ('Comedietta' japonesa en un acto)" se especifica

claramente: "traducida del japonés por José Juan Tablada". Esto a todas luces es irrisorio. Además del testimonio de Valenzuela arriba mencionado, Antonio Castro Leal recoge la anécdota de que cuando a Efrén Rebolledo —quien residió como diplomático en Japón alrededor de seis años, entre 1907 y 1914— le preguntaban lo que Tablada sabía de Japón, "dibujaba una sonrisa oblicua y con un gesto renunciaba a contestar".[22] Tablada hacía gala de "hablar japonés" frente a sus amigos e invitados, como consta en un relato de Ramón López Velarde,[23] e incluso llegó a escribir frases en dicho idioma, en grafía latina o en caracteres japoneses.[24] Si mentía acerca de estos conocimientos, ¿no lo estaría haciendo también acerca de su viaje?

En *José Juan Tablada en la intimidad*, Nina Cabrera de Tablada rememora dos ocasiones en que el poeta evocó su estancia en Japón. Una de ellas fue en las montañas de Catskill, en las afueras de Nueva York, donde habían construido un pequeño *bungalow*, a mediados de 1921, para pasar los fines de semana. En el agreste lugar, "había encontrado algo semejante a lo que sintiera, en los tiempos de su juventud, al abandonar algún rincón de Japón".[25] La segunda ocasión sucedió al final de sus días, en Cuernavaca, cuando después de la visita de un médico que le diagnosticó un ataque de asma, Nina lo acompañó a sentarse en su sillón para tomar el sol y contemplar el jardín, con su estanque, pijijes y sauce llorón (igual al de Coyoacán). Dice Nina:

"Tenía el cuadro tal carácter, que me dijo sentir en aquellos instantes el encanto de los jardines de Yokohama".[26] ¿Tablada habría sido capaz de sostener el embuste del viaje por tantos años? ¿Lo habría alimentado de manera tan perfecta que hubiera logrado engañar incluso a su mujer en esos momentos tan íntimos?[27]

José María González de Mendoza (el Abate) —gran amigo de Tablada y devoto admirador de su obra, quien inició su estudio sistemático y rescate en la UNAM— defendió siempre la idea del viaje del poeta a Japón. Argumentaba que si una de las pruebas para confirmarlo fuera la existencia de correspondencia timbrada y sellada por las oficinas de correos, y si la ausencia de ésta fuera señal irrefutable de su falsedad, entonces tampoco habían sido reales sus viajes a París, ya que no había el mismo tipo de prueba.[28] Es un argumento insuficiente, que podríamos llamar de "contención de la maledicencia" o de fe en el hecho, como la expresada por Gamboa. No obstante, no es una fe ciega. El Abate observa que, según Jorge Juan Crespo y De la Serna, la Subsecretaría de Fomento, Colonización e Industria subvencionó el viaje, pues la ayuda suministrada por Luján era precaria. Por esta razón, por el "régimen de capitulaciones"[29] y por la dificultad de los viajes en Japón (el sistema ferroviario era aún muy corto), justifica que Tablada no haya podido excursionar mucho. No obstante, se sorprende de que no mencione Nikko o Kamakura (con su gigantesco Buda de bronce), por su cercanía con Yokohama y Tokio, y admite que no estuvo en Kobe, Osaka y Nagasaki, como el poeta afirmó en un par de crónicas, aclarando que ese desplante obedeció a "fantaseos por necesidades periodísticas". González de Mendoza explica el estilo de las crónicas, marcado por la "insuficiencia descriptiva" y el "pauperismo en los temas", señalando que Tablada no actuó como turista o reportero, sino que se apegó a sus "emociones estéticas", y a la vez que rastrea sus semejanzas estilísticas con las crónicas enviadas desde París (1911-1912), las confronta con la variedad y riqueza de las crónicas neoyorquinas. Para el Abate, gran parte de la sospecha sobre la veracidad del viaje es la actitud de Tablada, pues "es probable que el contacto con la realidad japonesa no fuese tan grato como lo había imaginado" y, como sugiere Tanabe, que haya sufrido "la incomunicación con la gente, por su incapacidad de manejar el idioma".[30]

En otras palabras, lo poético compensa la realidad frustrante y cumple con lo que supone que la fantasía de los lectores espera. De cualquier manera, el Abate, como Ceballos, nunca pone en duda el viaje.

Una penúltima etapa de la controversia sobre el viaje a Japón es el intento de Ruedas de la Serna de insinuar elaboradamente la falsedad del viaje, interpretando a su manera las palabras de Valenzuela, la amistad de éste con Enrique C. Creel, citando la calumnia de Ruelas y tachando de "pueriles pruebas" las acuarelas datadas en Yokohama, entre otras cosas. Sostiene que las expectativas políticas del régimen de Porfirio Díaz de fortalecer las relaciones comerciales y culturales con Japón crearon un contexto propicio al japonismo de Tablada,[31] pero considera que esa coyuntura le dio abrigo al viaje haciéndolo políticamente incuestionable. Agrega dos datos históricos que se avienen a su lectura: las noticias de un brote de peste bubónica en países asiáticos, que reseña con apoyos minuciosos desde enero a junio de 1900, la cual afectó a San Francisco y alarmó a las autoridades mexicanas; y la celebración de la Exposición Universal de París de 1900, en la que México participó con un fastuoso pabellón, ganador de numerosos reconocimientos, políticamente útiles a la reelección de Díaz.[32]

Durante dicha exposición, a principios de julio, se presentó la geisha y actriz japonesa Sadayakko, quien tuvo una gran repercusión en los periódicos. El 11 de septiembre, Jean Lorrain le dedicó un artículo, publicado en el parisino *Le Journal*, que

Autor no identificado
Templo Zotoku en Motomachi, Yokohama, *ca.* 1900
Fig. 7

(188) ZOTOKU TEMPLE MOTOMACHI AT YOKOHAMA　元町海龍山瑠徳院（横濱）

Tablada menciona en la crónica "Un teatro popular", fechada "Yokohama 1900", pero sólo publicada en *Revista Moderna* en el número de la primera quincena de febrero de 1901. Ruedas se sorprende de que, estando en Yokohama, Tablada haya leído el artículo de Lorrain. No imagina que pudiera haberlo hallado en un puerto internacional como Yokohama, antes de regresar a San Francisco en diciembre de 1900, o que pudiera haberlo visto reproducido parcial o totalmente en algún otro periódico. Tampoco que pudo haber agregado la referencia ya en 1901, un

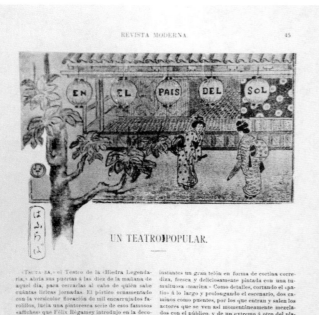

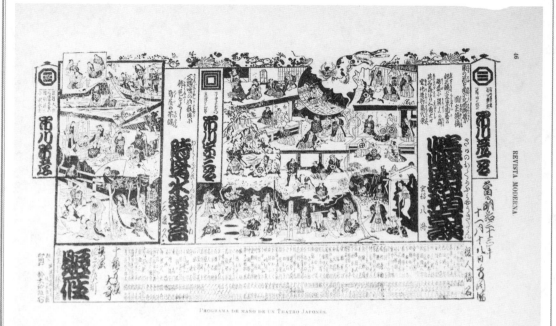

PROGRAMA DE MANO DE UN TEATRO JAPONÉS.

poco antes de llegar a la Ciudad de México, dejando el fechado por error o conveniencia. En cambio, después de dedicar seis alarmantes páginas a la reseña de la plaga de la peste bubónica, sugiere que Tablada tal vez no "haya tenido el coraje de ir al encuentro de la terrible enfermedad". Se basa en la infundada afirmación de Tanabe de que abandonó Japón en octubre y supone que, o bien permaneció en Chihuahua, acogido por la poderosa familia Creel, y ahí escribió con calma sus crónicas; o bien "habría tomado el [tren] Overland en su otra línea, con rumbo a Nueva York, y quizás con un golpe de suerte hasta se podría haber embarcado en una de esas nuevas y rápidas corbetas que cruzaban el Atlántico, para asistir de incógnito […] al evento más importante del siglo en París". Así, "habría leído la crónica de Jean Lorrain, y hasta podría haber visto en persona a Sadayakko". Aunque descabellada —admite Ruedas— esta hipótesis explica muchas "poéticas confusiones" de Tablada. Sin embargo, de inmediato se cura en salud: "éstas no son más que conjeturas, como todas las que se han levantado hasta ahora".[33]

Si es verdad que la labor de un buen investigador y crítico es postular hipótesis, conjeturas, también es frecuente que, en aras de elevarlas, acabe atropellando a la persona o al objeto que estudia, sin alcanzar la prueba. Esto es en especial grave cuando se socava indirectamente la reputación de una persona. Es cierto que Tablada no tuvo una conducta intachable. Al día de hoy, aún pesan sobre él su libelo contra Madero, su colaboración con Huerta y su afición a las drogas. Sin embargo, la leyenda de la falsedad del viaje, como hemos visto, había ya acarreado un descrédito que se extendía a otros campos, por ejemplo, sus poemas ideográficos.[34] Con su propuesta, Ruedas la alimenta y pretende compensarla con la imagen del "embustero genial". Pero, ¿acaso no es tan fantasiosa su hipótesis como algunas de las visiones de Tablada sobre Japón? Es curioso que las dos más importantes estudiosas de origen japonés de la obra de Tablada hayan favorecido la idea de que el viaje sí se realizó. Atsuko Tanabe siempre se mantuvo al margen de la sospecha sobre su veracidad, presentando sólo datos y asumiendo como "confirmación inequívoca" el testimonio de Valenzuela.[35] Seiko Ota comenta que en "Un teatro popular" Tablada describe el contenido de un *kabuki* de manera tan minuciosa, que piensa que "no lo pudo haber descrito sin que lo viera de verdad".[36]

El cierre de la controversia lo logró ingeniosamente Martín Camps, en su ensayo "Pasajero 21: evidencia del viaje de Tablada a Japón en 1900".[37] Varios investigadores habían buscado en las listas de desembarque en Japón, entre ellos Seiko Ota, y antes con mayor insistencia Drew McCord Stroud, profesor y traductor de origen estadounidense que residió en Yokohama y Taipéi. Stroud, basado en los escasos datos de las crónicas y en los itinerarios de las compañías navieras, supuso que Tablada había viajado a bordo del *Hong Kong Maru*, que arribó a Yokohama, vía Honolulú, el 1 de julio de 1900, pero no pudo probarlo, pues el poeta no apareció en la lista de pasajeros. Stroud entonces conjeturó que había viajado con otro nombre. Tablada anotó en la acuarela *Mi casa en San Francisco, California*, situada en Bush St. 334, que se embarcó el 15 de junio a Yokohama; en la titulada *Mi criado chino*, que se encuentra el 1 de julio a bordo del *Empress of Japan*; y en la crónica "Sitios. Episodios. Impresiones" (*Revista Moderna*, 1ª quincena de septiembre de

José Juan Tablada
Mi casa en San Francisco, California,
15 de junio de 1900
Fig. 33

1900) da noticia de que durante la fiesta de la independencia estadounidense (4 de julio) ya se encontraba en Yokohama. Sin embargo, los itinerarios del *Empress of Japan* no coinciden con el de Tablada. Ota halló que dicho navío sólo arribó a Yokohama el 7 de julio, y Camps que, aunque llegó a Yokohama el 2 de julio, zarpó de Vancouver el 18 de junio, puerto canadiense al que le pareció improbable que Tablada se hubiera trasladado para hacer el viaje, dadas sus limitaciones económicas.

El enfoque ingenioso de Camps fue concentrarse no en el arribo —dadas las dificultades de acceso a los registros de inmigración japoneses y la parcialidad de las listas de pasajeros y de las noticias periodísticas, que registraban sólo a los personajes importantes que generalmente viajaban en primera clase—, sino en el regreso a San Francisco, pues si los registros de salida de Estados Unidos podían fallar, los de entrada ya desde entonces eran rigurosos. Así fue como, después de revisar miles de

entradas en registros manuscritos y microfilmados del Archivo Nacional de Llegada de Inmigrantes a San Francisco, encontró que el pasajero 21 del buque *America Maru*, que había salido de Yokohama el 15 de diciembre para llegar el 22 del mismo mes a San Francisco, era "Jose Juan Tablada, 29, male, writer". Con esta prueba irrefutable, las descripciones sensoriales que recoge Camps de las crónicas de *En el país del sol* —como la percepción del amor de los japoneses por los niños, el pequeñísimo ferrocarril hacia Tokio, el sonido de los "belicosos gallos de Yokohama" y el "croac de los cuervos y el grito de los gerifaltes"— adquieren el carácter de experiencias vividas y no de artificios literarios, diferencia que me parece muy importante: Tablada no sólo escribió sobre el Japón que estudió e imaginó, sino sobre el que vio, por mucho que haya discordado de sus sueños de artista. Las fanfarronadas sobre el idioma y los fantaseos de excursiones imposibles al oeste del archipiélago quedan acotados y el viaje refuerza su lugar de punto de transición de su japonismo.

La edición del volumen *En el país del sol*[38] fue pésima, pues al parecer la casa editorial estadounidense Appleton & Co. no tenía ninguna experiencia con textos en español e introdujo muchísimas erratas. A esto hay que agregar que Tablada no le puso suficiente atención o quizás no pudo revisar las pruebas por estar ya en camino a Sudamérica. Por ejemplo, el léxico

Lista o relación de embarque de inmigrantes extranjeros para el inspector de migración (List or Manifest of Alien Immigrants for the Commissioner of Immigration), 1900. El nombre de José Juan Tablada se encuentra marcado como el pasajero número 21 al final de la lista
Fig. 41

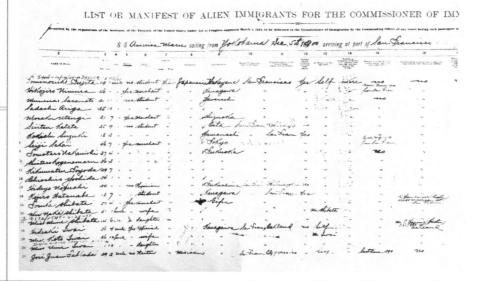

japonés no es uniforme y obedece a transcripciones provenientes de traductores y críticos de lengua inglesa o francesa. También que el tema podría ya estar fuera de sus intereses centrales. Otra observación importante sobre estas crónicas es que todos los textos incluidos, a excepción de uno, fueron localizados como publicados anteriormente. Los divulgados en *Revista Moderna*, en 1900 y 1901, fueron incluidos aunque uno de ellos tiene recortes muy significativos. ¿A qué obedecieron estos recortes? Hoy es posible observar que la selección de los textos provenientes de otros años y otras publicaciones —1897, 1899, 1905 y 1912— es un poco arbitraria y que el autor pudo haber

José Juan Tablada
En el país del sol, 1919
Cat. 83

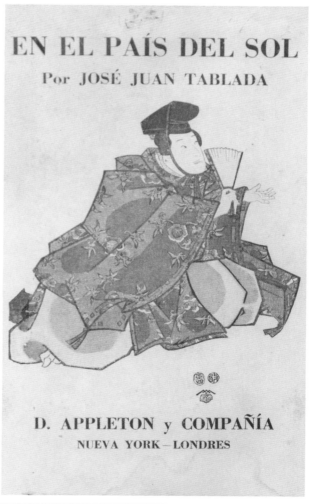

EN EL PAÍS DEL SOL

Por JOSÉ JUAN TABLADA

D. APPLETON y COMPAÑÍA

NUEVA YORK — LONDRES

Agustín Casasola (1874-1938)
y Miguel Casasola (1876-1951)
José Juan Tablada en una habitación de
su casa estilo japonés, *ca.* 1910
Fig. 12

incluido textos más atractivos o simplemente haberla ampliado. ¿Qué criterio la orientó? Traté de responder a estas preguntas en el prólogo a una primera edición electrónica de ese volumen.[39] Posteriormente, Ruedas hizo la edición en papel que cité antes, con un amplio glosario, y a partir de las observaciones de Tanabe, se adentró en muchas de las posibles fuentes de información e inspiración que Tablada utilizó —Edmond y Jules de Goncourt, Pierre Loti, Julián del Casal, Lafcadio Hearn, Basil Hall Chamberlain, Louis Gonse, entre otros— y logró confirmar algunas. Es una pena que subyacente a este importante rastreo se encuentre el prejuicio de su visión del viaje.

A su regreso de Japón, Tablada siguió escribiendo sobre temas japoneses, en publicaciones como *El Mundo Ilustrado*, *El Imparcial*, *Revista de Revistas*, *El Diario* y *La Semana Ilustrada*. La serie de artículos sobre el *jiu-jitsu* (que él mismo practicó), la dedicada a la figura del emperador japonés y a las relaciones México-Japón, y otros textos como "Un banquete japonés", que retratan su proximidad con la colonia japonesa en México, le abrirían un lugar importante en la celebración del Centenario de la Independencia con la comitiva japonesa, pues fue nombrado por la Secretaría de Relaciones Exteriores como "agregado al Protocolo". También están artículos como "Utamaro. El Watteau amarillo" y "Espectros heroicos", escritos en París y enviados a *Revista de Revistas* para después formar parte del volumen *Los días y las noches de París*.[40] Estos artículos no han sido analizados en conjunto. Su escritura corrió paralela a la construcción de la famosa casa de Tablada en Coyoacán, que se inició con la compra del terreno en 1905, y al fallido abandono de Tablada del mundo de la escritura y el periodismo, en 1909, para dedicarse al comercio de vinos, entre muchas otras actividades.[41]

El 19 de marzo de 1913, justo unos días después de la Decena Trágica, Tablada describe, en su diario, con orgullo y alegría —es el día de su santo—, su biblioteca de libreros-vitrinas, decorada con óleos —uno de ellos un retrato suyo hecho aparentemente por Salvador Murillo—, aguafuertes, colecciones de hierros, porcelanas, lacas y diversos objetos japoneses como los tres *tokonoma* —dedicado a Edmond de Goncourt, Hokusai, Lafcadio Hearn y Jules de Goncourt—, varios *tsuba* o guardagolpes de espada, diversas pinturas de las escuelas Yamato y Tosa, varios *ukiyo-e*, un sable de samurai, un espejo nupcial, dos dagas *kotsuka*, un *makimono* de 22 metros y varias figurillas de dioses y semidioses, entre otras cosas. Algunos de estos objetos se pueden distinguir en una de las fotos que aparecieron en *Revista de Revistas*, el 22 de junio de 1913, con un artículo de Francisco Gándara. Las otras fotos de este conjunto son del pabellón japonés —que miraba hacia el jardín donde se encontraba su amado sauz—, el pórtico shintoísta y el poeta, en kimono, celebrando la ceremonia del té (p. 67).[42] Tablada lamentará en sus memorias el saqueo metódico de esta casa por "seudo-zapatistas", al inicio del periodo revolucionario, y la pérdida de valiosos libros y del manuscrito de su novela *La nao de China*, asunto que se ha convertido en leyenda y que habría que revisar.[43]

Para 1914, el conocimiento de la cultura japonesa que Tablada había ido acumulando a lo largo de más de veinte años lo rodeaba de tal manera que se había convertido en parte de su vida diaria y su intimidad, y en un aspecto sobresaliente

de su imagen pública, como lo constatan fotos y relatos, elogios y sátiras. En los días "congojosos y adversos" de la Decena Trágica y en los meses que siguieron y desembocaron en la caída de Huerta, Tablada dice haberse refugiado en la preparación de *Hiroshigué: el pintor de la nieve y de la lluvia, de la noche y de la luna* (pp. 104 izquierda, 166-167).[44] El 14 de febrero de 1913 anotó en su diario: "Cansado del bombardeo, me voy a viajar con el pintor Hiroshigué por el Tokaído, abriendo su álbum famoso: 'Las 53 estaciones del Tokaído', y partiendo del puente Nihon Bashi del viejo Yedo, divaga mi espíritu atribulado en aquellos luminosos paisajes y lo descanso en sus serenos y agrestes reposorios…".[45] El volumen salió a la luz en los primeros meses de 1914. Poco antes, Tablada recibió la distinción de la Orden del Sagrado Tesoro, cuarta clase, otorgada por el emperador de Japón a través de su legación en México, con sello imperial del 5 de marzo (p. 94). Años más tarde, mostraría orgulloso este libro a sus amigos pues, para 1928, fecha en que redactaba *Las sombras largas*, ya se había convertido, según él, en pieza de coleccionistas, por su combinación de belleza y erudición, y había merecido halagüeños juicios de orientalistas y escritores de arte. En las palabras de Tablada se percibe el gran aprecio que le tenía a esta obra, quizá por la gran cantidad de trabajo que le invirtió. Como observa Atsuko Tanabe, el poeta fue minucioso en sus referencias bibliográficas, a diferencia de trabajos anteriores.

La importancia de *Hiroshigué…* no radica sólo en su belleza, hoy cuestionable debido a los grandes avances de la industria editorial, ni en su erudición, quizá adelantada para su lugar y época. El libro es fundamentalmente un homenaje al artista japonés, pero también a Edmond de Goncourt, a quien Tablada consideraba su maestro. El poeta lo dedica a la memoria de este escritor francés e incluso lo propone como continuación del plan original que éste tenía de publicar monografías sobre cinco pintores, de las cuales sólo alcanzó a concluir *Outamaro, le peintre des maisons vertes* (1891) y *Hokousaï. L'Art japonais du XVIIIe siècle* (1896) (pp. 104 derecha, 105). *Hiroshigué…* también es un ejemplo notable de prosa poética modernista, pero sobre todo es una obra que explica la transformación profunda de la poética de Tablada, la cual se hace evidente en su posterior ejercicio del haikú. Como su antecedente se puede señalar "El poema de Okusai" (1910), larga composición de 38 cuartetos eneasílabos en que Tablada recorre la cultura japonesa a través de minuciosas referencias a las estampas de Hokusai.[46]

Ya en su ensayo "Los hai-jines mexicanos", González de Mendoza señala la importancia de un pasaje de *Hiroshigué...* en que el poeta sugiere que el pintor Toyohiro pudo haberse inspirado en un haikú de Basho para realizar la estampa *Las campanas de la tarde en Ueno*.[47] Tablada incluye una traducción de dicho haikú; comenta que este tipo de pequeños poemas, de admirable concisión impresionista, vertidos al español parecen incoherentes; y propone una paráfrasis poética que equivaldría a lo que un japonés leería en dicho poema. González de Mendoza apunta que tal vez fue esta incoherencia la que llevó a Tablada a "transplantar el hai-kai al castellano creando sustancialmente una poesía occidental en una forma japonesa".[48] Sin embargo, la conexión profunda entre *Hiroshigué...* y el cambio en la poética de Tablada fue mejor señalada por Atsuko Tanabe, quien subraya que es en esta obra donde se hace evidente que el poeta mexicano había comprendido la "relatividad recíproca" de

Utagawa Hiroshige 歌川広重 (1797-1858)
Nihonbashi: salida al amanecer
(*Nihonbashi Akebono tabidachi no zu* 日本橋曙旅立の図), de la serie "Las cincuenta y tres estaciones de Tōkaidō" ("*Tōkaidō gojūsan tsugi no uchi*" 東海道五十三次之内), *ca.* 1841-1844
Fig. 38

la pintura y la poesía japonesas, su equilibrio y mutuo refuerzo practicado tradicionalmente en esa cultura desde épocas muy antiguas en formas como el *emakimono*, el *kakemono* y el *shikishi*. El mismo ejemplo del poema de Basho le sirve a Atsuko Tanabe para resaltar la conciencia que Tablada tenía de este vínculo. Habría que agregar que, en la página 68 de *Hiroshigué…* aparece otro ejemplo que corre en sentido contrario al de Basho y que lo complementa: el "Paisaje lunar", incluido en el *Yamato meisho zue* —libro cuyas estampas Tablada describe para ejemplificar los *meisho*, "guías ilustradas" o "libros topográficos", género que Hiroshige cultivó—, es comentado por dos *utas*, una de la poeta Sōyū y otra del poeta Narihira Ason, según apunta Tablada. Tanabe también observa que otro rasgo fundamental de *Hiroshigué…* es que en él se percibe que Tablada manejaba conceptos como *mono-no-aware* ("sentimiento sobre las cosas") y *kokoro* ("corazón en el sentido de mente, espíritu, sensación y entrañas contenidas en el tórax"), y que había depurado su visión del *ukiyo-e*, liberándola de ser sinónimo de pintura pornográfica, para ubicarla en la contemplación cándida e ingenua de las cosas y de la naturaleza, en una suerte de panteísmo. Según el poeta, estos rasgos debían atribuirse a la religión budista conservada por el pueblo japonés, interpretación intuitiva que podemos parcialmente atribuir a su entusiasmo. Seiko Ota señala que en *Hiroshigué…* se percibe cómo Tablada admiraba tanto al pintor "que quiso escribir poemas así como Hiroshige dibujaba pinturas simpatizando con la naturaleza".[49] No olvidemos que al introducir la segunda de sus crónicas japonesas —en un apartado que significativamente titulará "At home" en la edición de 1919—, evoca a Hiroshige para referirse al "panorama encantador y esencialmente japonés" que le ofrecía el barrio de su casa en Yokohama (captada en una acuarela, p. 83), y enseguida recuerda una anécdota en que Hokusai nombra sus composiciones "mangua" —"el dibujo como viene"—, para afirmar que las suyas: "Mangua serán, pues, estas crónicas, estas acuarelas rápidamente lavadas en el álbum de viaje".

Sobre los libros de haikús *Un día… Poemas sintéticos* (1919) y *El jarro de flores. Disociaciones líricas* (1922), lo primero a decir es que Tablada los concibió como "libros gemelos" y hay evidencias de que así fue, pues en su Archivo Gráfico hay dibujos en

José Juan Tablada
Un día... Poemas sintéticos, 1919
Cat. 85

el formato de los que acompañaron al primero, pero con temas que aparecieron en el segundo, como las frutas. También hay poemas manuscritos al pie de dibujos —"En Liliput // Hormigas sobre un / grillo inerte. Recuerdo / de Guliver en Liliput…" y "Churruscos (Oruga de *thrydopterix ephemeraeformis*) // Parece un Dragón Chino / revestido con gualdrapa de seda", este último inédito— que refuerzan la idea de que escritura y dibujo se dieron simultáneamente, como sucede en la tradición japonesa, pues además de que muchos haijines japoneses acompañan sus poemas con dibujos, no hay que olvidar que la literatura japonesa es escrita con caracteres chinos y que en Japón existe la tradición de origen chino de la caligrafía.[50]

Aunque se cita que, por ejemplo, Alfonso Reyes escribió un haikú alrededor de 1913,[51] es consenso que Tablada fue el introductor del haikú al español, por haberlo cultivado en forma extensiva y no esporádica con estos dos libros fundamentales. Tablada mismo se encargó de subrayarlo en el prólogo "Hokku" a *El jarro de flores*, explicando a la vez el espíritu de síntesis, desnudez, esencia e ironía de estas composiciones, su reconocida importancia en el ámbito de las lenguas francesa e inglesa, y anunciando el surgimiento de poetas mexicanos, como Carlos Gutiérrez Cruz y Rafael Lozano que comenzaban con éxito a practicar el género. Más tarde, en el poema-prólogo "Elogio del buen haijín" al libro de haikús *Itinerario contemplativo* (1923) de

José Juan Tablada
Hormigas sobre un grillo muerto,
Caracas, septiembre de 1919
Fig. 31

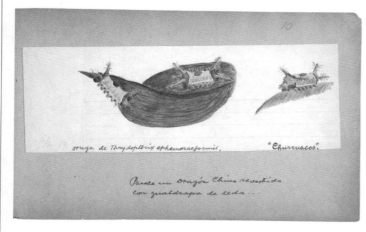

José Juan Tablada
Oruga de thrydopterix ephemeraeformis
– Churruscos, 2 de mayo de 1919
Fig. 34

R
O
D
O
L
F
O

M
A
T
A

Francisco Monterde, Tablada dará un perfil de sus cultivadores, en el que señala que su lema es "Máxima in mínima".

No obstante el entusiasmo celebratorio, el camino que Tablada recorrió no fue fácil. Es cierto que hizo muchas lecturas de traductores e introductores de la poesía japonesa a otras lenguas y del género en particular, como Paul-Louis Couchoud, William George Aston, Basil Hall Chamberlain, Léon Rosny, Judith Gautier, Lafcadio Hearn, entre otros, complementadas por muchas otras sobre cultura japonesa en general. Seiko Ota continúa y profundiza notablemente las observaciones de Tanabe acerca de estas fuentes y agrega noticias sobre semejanzas considerables de poemas de Tablada con poemas de autores japoneses. Por ejemplo, si Tanabe menciona que "Mariposa nocturna" —"devuelve a la desnuda rama, / nocturna mariposa, / las hojas secas de tus alas"— recuerda "Una flor caída / vuelve a su rama: / ¡una mariposa!", de Arakida Moritake (1473-1549), según apuntó Manuel Maples Arce;[52] Ota recoge las traducciones del mismo poema que hicieron Couchoud, Revon y Aston, indicando que era uno de los favoritos entre los occidentales. Además, señala que "Luciérnagas" —"La inocente luciérnaga se oculta / de su perseguidor, no entre las sombras / sino en la luz más clara de la luna…"— imita "¡Por haber sido seguida / escondida en la luna / luciérnaga!" de Ryota Oshima (1718-1787), referido en "Fireflies" por Lafcadio Hearn, y sugiere una curiosa semejanza en la explicación que Tablada le dio a López Velarde acerca de su poesía ideográfica como "síntesis sugestiva de los temas líricos puros y discontinuos" y la que ofrece Couchoud en *Sages et Poètes d'Asie* sobre la presencia de los mismos rasgos en la poesía japonesa.[53] De cualquier manera, ambas autoras señalan que Tablada no se limitó a repetir a los japoneses, sino que imprimió rasgos propios a sus composiciones.

La mayoría de las reseñas del trabajo de Tablada con el haikú abordan de manera sucinta el origen del género en la literatura japonesa; su métrica de tres versos de cinco, siete y cinco sílabas respectivamente (a veces con las dificultades de identificar la sílaba con la medida fonética japonesa llamada *onji* y otras peculiaridades del japonés como la inexistencia de artículos); el incumplimiento de esta regla por parte de Tablada (así como la anomalía de agregar títulos a los haikús, cuando en japonés por lo general no los tienen); la presencia o transformación de las *kigo* —palabras emblemáticas de las estaciones—, el uso de la *kireji* —"palabra de corte" que divide al poema en dos partes—, la importancia del tema de la naturaleza, la americanización y mexicanización de los temas (con haikús como "Plátano" y "Coyoacán"); y las repercusiones que tuvieron sus libros en la renovación poética, en parte propiciada por el clima de las vanguardias, en torno a la brevedad y la imagen.[54] Por esto último, un tema interesante es la diferencia entre *Un día… Poemas sintéticos* y *El jarro de flores. Disociaciones líricas.* Tanabe observa que para leer los haikús del segundo volumen "se requiere de una mayor participación intelectual".[55] Ota no hace esa distinción directamente sobre los poemas, pero llama la atención

hacia los subtítulos de ambos libros. Mientras el primero se centra en la idea de "síntesis" y su consecuente brevedad, concentración y sentido de lo esencial, el segundo subraya la "disociación", relacionada con la discontinuidad y la eliminación de lo explicativo. Si un haikú de *Un día…* como "La palma" —"En la siesta cálida / Ya ni sus abanicos / Mueve la palma…"— se limita a la presentación de una imagen, a recrear un momento vivido, otro como "La carta" —"Busco en vano en la carta / De adiós irremediable, / La huella de una lágrima…"—, de la sección "Dramas mínimos" de *El jarro de flores*, ya contiene, como la sección sugiere, una anécdota.

Otra pregunta interesante es cuándo comenzó a aparecer el haikú en la escritura de Tablada. Para González de Mendoza, los ágiles tercetos octosílabos monorrimos del poema "Musa japónica" —fechado "Jardines del Bluff, Yokohama, Otoño 1900"— son precursores de los "poemas sintéticos". Puedo agregar que a esta impresión contribuye la dicción entrecortada y disociante de sus monorrimos. "Lawn tennis", de *Al sol y bajo la luna*, puede considerarse como su continuación "espacializada", por el juego de las estrofas en la página que emulan el ir y venir de una bola en la cancha de tenis, junto con los poemas breves de "Lunas marinas", que aunque aparecen reunidos bajo un título, ya son imágenes breves independientes. Cito otro poema que es hermano de éstos pues, aunque no fue publicado en *Al sol y bajo la luna*, apareció en el artículo original de diciembre de 1912 de *Revista de Revistas*: "Las medusas: // Globulares, azules y difusas, / alumbrando cual pálidas farolas / la estela del bajel, van las medusas / como ámpulas de luz, bajo las olas".

No obstante, para Seiko Ota, Tablada comienza por asomarse al "mundo del haikú" mediante descripciones en prosa que lo reflejan, y cita una anotación en su diario del 9 de septiembre de 1905: "Leyendo en la cama. Oigo ruido, me levanto envuelto en mi kimono, me asomo… Nada… más que un espléndido plenilunio y en el jardín mudo y penumbroso, el alto plátano de Abisinia reluciente aún por la lluvia de la tarde y en cuyas anchas hojas verdes bruñe la luna estrías de oro…".[56] A partir de ella, Ota, quien conoce a fondo la naturaleza del haikú porque lo practica, compone uno: "Luz de luna / alumbra / una hoja de plátano".[57] El indicio es llamativo, pero no concluyente. Se ajusta a un deseo que atraviesa todo el libro de Ota, sin que esto abone en demérito de las importantes referencias japonesas y japonistas que aporta. Mi percepción es que el eje que rige la investigación de Ota es la tradición japonesa del haikú y, por lo tanto, más la manera en que Tablada se acerca a ella y menos los caminos que sigue para alejarse de ella, una vez que la ha alcanzado, mérito que la investigadora le reconoce a nuestro poeta. De esta manera elogia un poema como "Peces voladores" —"Al golpe del oro solar / Estalla en astillas el vidrio del mar"—,

José Juan Tablada
"Musa japónica" [ilustración de Julio Ruelas], *Revista Moderna*, 2ª quincena de septiembre de 1900
Fig. 60

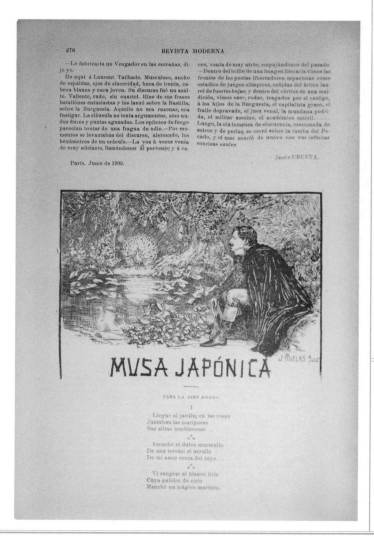

pero parece lamentar poemas que son "ideas", como "Identidad" —"Lágrimas que vertía / La prostituta negra, / Blancas… como las mías…!", de la mencionada sección "Dramas mínimos", pues "Tablada hubiera podido ampliar más su mundo poético de haber seguido seleccionando escenas concretas de la vida a la hora de escribir".[58] Ota se refiere a la ambición de corte didáctico que tuvo Tablada de escribir una versión mexicana al estilo del *Meisho-zue* (*Dibujos de paisajes famosos*), pero no considera las dificultades que Tablada enfrentaba ya con el simple hecho de practicar el haikú.

REVISTA MODERNA.   277

Así en mi sér que devora
La Tristeza, á toda hora
Tu recuerdo sangra y llora!

Una garza cruza el cielo,
Tiende sobre el sol un velo,
Junto al lago posa el vuelo,

Y en el lago retratada,
Su alba imagen sobrenada
Temblorosa y argentada!

Así eternamente veo,
Sobre el sol de mi deseo
De tu amor el aleteo

Que en mi alma tenebrosa,
Una estela al fin reposa
Argentada y luminosa!...

Del lago entre las temblores,
Cual reflejo de sus flores
Van los peces de colores...

¡Tú eres flor triunfante y pura
Que en vano copiar procura
Mi rima en su onda obscura!

II

Los pinos que en las colinas
Lloraban las ambarinas
Lágrimas de sus resinas;

Las linternas sepulcrales
De los príncipes feudales,
Entre verdes saucedales

Y la pagoda sombría
Donde eternamente ardía
El incienso noche y día...

En aquel jardín sagrado,
El símbolo han evocado
Del amor con que te he amado!

De mi amor ¡amor inmenso,
Que se exhala si en tí pienso
Como el perfumado incienso...

Que en aras de tu hermosura
Gastara la piedra dura
Con ósculos de ternura!...

Es por eso, repito, que el camino de Tablada no fue fácil. Octavio Paz fue quien inició la revaloración de su papel en el ámbito de la poesía mexicana, afirmando que al practicar el haikú "dio libertad a la imagen y la rescató del poema con argumento, en el que se ahogaba" y "se atrevió a ver con ojos limpios la naturaleza, sin convertirla en símbolo o en decoración". Pero si Tablada abrió una puerta, escapando de una convención, no tenía por qué apegarse a otra: la del haikú. Por ello Paz señala: "Se le reprocha una falta de unidad que nunca buscó. La unidad, en él, reside en su fidelidad a la aventura".[59] Su antecedente

es la imagen —implantada por Xavier Villaurrutia— de que, siendo la "Eva" de una supuesta pareja original de la poesía mexicana, con López Velarde como el "Adán", Tablada tenía por características la volubilidad estética, el brillo seductor, transitorio y de pequeñas realizaciones, aunque de influencia innegable.[60] Esta visión de la obra de Tablada —alimentada también por su colaboración con Díaz y Huerta— prevaleció por mucho tiempo en las antologías de la poesía mexicana hasta que apareció *Poesía en movimiento. México 1915-1966* (1966).[61] Sus resabios se dejaron sentir aún en la serie de artículos que aparecieron en 1971, centenario del nacimiento de Tablada, de autores como Rafael Solana, Salvador Reyes Nevares y Porfirio Martínez Peñalosa. En cambio, a la revaloración de Paz se sumarán Carmen Galindo, José Emilio Pacheco, Antonio Castro Leal (que para entonces ya había mudado de la opinión que plasmó en su antología *La poesía mexicana moderna*, de 1951) y, a mi modo de ver, de manera notable, Salvador Elizondo. Quizás esto sucedió porque, en la dinámica de la modernidad como tradición de la ruptura propuesta por Paz, en México siempre tuvo más peso la tradición.

Agustín Casasola y Miguel Casasola
Exposición *Estampas de Hiroshigué* creada por José Juan Tablada y Gabriel Fernández Ledesma en el Palacio de Bellas Artes, 1937
Fig. 9

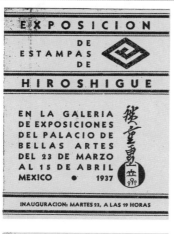

Folleto de la exposición *Estampas de Hiroshigué*, México, marzo de 1937
Fig. 40

En Nueva York, Tablada escribió sobre temas japoneses para revistas y periódicos estadounidenses, continuó disfrutando la lectura y contemplación de libros sobre cultura japonesa, de autores como Louis Aubert, Chamberlain, Jefferson Thurber Wing, Yone Noguchi y Okakura Kakuzō (algunos comprados en la librería Orientalia) y llegó a cultivar algunas amistades japonesas, como Shigeyoshi Obata, diplomático japonés, o K. Shimoda, con quien parece que estuvo intentando traducir "un centenar de haikais".[62] Ya en México, en abril de 1937, organizó, junto con Gabriel Fernández Ledesma, una exposición de paisajes de Hiroshige, en el Palacio de Bellas Artes, durante la cual también se ofreció una conferencia del artista mexicano Francisco Díaz de León sobre la técnica japonesa del grabado en madera y varias selecciones de música japonesa.[63]

La fortuna de la biblioteca de Tablada fue múltiple. El momento dorado del poeta como bibliófilo sin duda corresponde a los años de su casa en Coyoacán. Cuando los revolucionarios la invadieron en 1914, parte de sus amados libros y de sus colecciones se perdió. Del conjunto de piezas arqueológicas, de insectos y de cerámica japonesa sólo restan fragmentos de los catálogos que el poeta elaboró.[64] Sin embargo, en los mercados de Nueva York, Tablada se volvió a hacer de valiosos ejemplares bibliográficos y estampas japonesas y mexicanas. En 1927, por necesidades de salud, ofreció vender parte de su biblioteca —en especial la japonesa— al entonces secretario de educación, Manuel Puig Casauranc, y, según consta en la correspondencia con Genaro Estrada,[65] efectivamente recibió el dinero. Esto explica parte del desmembramiento de su biblioteca. La Biblioteca de México "José Vasconcelos" posee una colección "José Juan Tablada" y otra parte de ella fue entregada a la Biblioteca Pública de Cuernavaca —donde Tablada vivió de 1936 a 1944—. Otra más pasó a la Biblioteca Nacional, donde desafortunadamente se encuentra dispersa en el acervo general; algunos ejemplares se reconocen por sus exlibris y en otros quizás se hallen anotaciones; ahí también se encuentra una colección de 225 piezas, entre estampas y libros japoneses, que pertenecieron a Tablada y que forman gran parte de *Pasajero 21. El Japón de Tablada*. Entre 2005 y 2006 organicé, con el apoyo de Aurelio Asiain, entonces agregado cultural en Tokio, y Nina Hasegawa, de la

Agustín Casasola y Miguel Casasola
José Juan Tablada en su biblioteca
acompañado de una mujer, *ca*. 1910
Fig. 10

Universidad de Sofía, la visita, subvencionada por la Fundación Japón, del curador japonés y especialista en *ukiyo-e* Inagaki
Shin'ichi, quien colaboró con Amaury A. García Rodríguez, investigador de El Colegio de México en el tema, para realizar el
catálogo.[66] En el acervo del Castillo de Chapultepec también se
conserva un conjunto de estampas eróticas japonesas, localiza-
das por Amaury, cuya pertenencia a Tablada está por verificarse.

La importancia de José Juan Tablada como introductor del
haikú y del arte japonés en México y en Hispanoamérica es innegable. El escritor mexicano fue responsable de abrir la percepción de sus contemporáneos a un universo estético y filosófico
desconocido y de establecer uno de los más importantes e in-
delebles puentes desde México e Hispanoamérica hacia Japón.
Sin duda hay mucho todavía por hacer por parte de los investigadores interesados para aquilatar debidamente la pasión y el
esfuerzo admirable de José Juan Tablada.

Ciudad de México, 23 de septiembre de 2017.

Notas

1 José Juan Tablada, *La feria de la vida. Memorias*, México, Ediciones Botas, 1937, 456 pp. [2ª ed., México, CONACULTA, 1991 (Lecturas Mexicanas, Tercera Serie, 22), cap. I, p. 20.]

2 Publicado originalmente en *El Universal*, 29 de enero de 1925.

3 Desde la década de los setenta existe una amplia polémica sobre lo "oriental", ya que el uso más generalizado del término responde a una visión vinculada a un discurso de poder y a proyectos coloniales y de dominación económica y/o cultural. Todo esto tiene una evidente carga de exotismo, misma que caracterizó a la gran mayoría de las aproximaciones a Asia de fines del siglo XIX y principios del XX, dentro de la cual se ubica la del propio Tablada.

4 José Juan Tablada, *Un día... Poemas sintéticos*, Imprenta Bolívar, 1919, 104 pp. Véase Rodolfo Mata, "José Juan Tablada y el haikú", prólogo a la edición facsimilar, México, CONACULTA, 2008, pp. VII-XV.

5 José Juan Tablada, *El jarro de flores. Disociaciones líricas* (con ilustraciones de Adolfo Best Maugard), Nueva York, Escritores Sindicados, 1922. Véase Rodolfo Mata, "El jarro de flores: itinerario de un libro", prólogo a la edición facsimilar, México, CONACULTA, 2010, pp. IX-XXIII.

6 "Canción de las gemas" fue publicado en *Revista Azul* (15 diciembre 1895), pp. 104-105; "Versos y flores", en *El Universal* (15-05-1892); y "Misa negra", en *El País* (08-01-1893), p. 1. Todos están incluidos en el volumen *Obras I. Poesía* (recopilación, edición, prólogo y notas de Héctor Valdés), México, UNAM, 1971 (Nueva Biblioteca Mexicana, 24), 669 pp.

7 José Juan Tablada, *La resurrección de los ídolos: novela americana*, México, Publicaciones exclusivas de *El Universal Ilustrado*, 1924.

8 José Juan Tablada, *Historia del arte en México*, México, Compañía Nacional Editora Águilas, 1927, 255 pp.

9 José Juan Tablada, *La feria (poemas mexicanos)*, Nueva York, F. Mayans Impresor, 1928.

10 José Juan Tablada, *Hongos mexicanos comestibles. Micología económica* (edición e introducción de Andrea Martínez), México, FCE, 1983, 184 pp.

11 Atsuko Tanabe, *El japonismo de José Juan Tablada*, México, UNAM, 1981, 176 pp.

12 En el budismo, el nombre de este *bodhisattva* de la compasión se escribe *Kannon*, aunque antes se escribía *Kwannon*, o *Kwan-non*.

13 Pedro de Carrère y Lembeye vivió en la Calle Real 16, en Coyoacán, y era vecino de Tablada. Estuvo casado con Concepción Gómez Farías, nieta de Valentín Gómez Farías, según comenta Guillermo Sheridan.

14 Este archivo se encuentra en el Instituto de Investigaciones Filológicas de la Universidad Nacional Autónoma de México. Fue publicado en el CD-ROM *José Juan Tablada: letra e imagen (poesía, prosa, obra gráfica y varia documental)* (2003). Parte del archivo puede ser consultado en www.tablada.unam.mx.

15 *Cf.* José Juan Tablada, *Obras IV. Diario (1900-1944)* (ed. de Guillermo Sheridan), México, UNAM, 1992 (Nueva Biblioteca Mexicana, 117), p. 116.

16 *Cf.* Esperanza Lara y Rodolfo Mata, "'Notas de la Semana' y otras columnas periodísticas de José Juan Tablada en *El Nacional* (1897-1900)", *Literatura Mexicana*, vol. XII, núm. 1 (2001), pp. 179-200.

17 *Cf.* Jesús E. Valenzuela, *Mis recuerdos. Manojo de rimas* (pról. de Vicente Quirarte), México, CONACULTA, 2001, pp. 127-128.

18 *Cf.* Héctor Valdés, "Estudio preliminar" a *Índice de la Revista Moderna. Arte y Ciencia (1898-1903)*, México, UNAM, 1967, 302 pp.

19 Federico Gamboa, *Mi diario. Tomo V (1909-1911). Mucho de mi vida y algo de la de otros*, México, CONACULTA, 1995 (Memorias Mexicanas), p. 121.

20 Ciro B. Ceballos, *Panorama mexicano 1890-1910 (Memorias)* (estudio introductorio y edición crítica de Luz América Viveros Anaya), México, Coordinación de Humanidades-UNAM, 2006, pp. 378-380.

21 Jorge Ruedas de la Serna, "Prólogo" a *Obras VIII. En el país del sol. Crónicas japonesas de José Juan Tablada* (edición crítica, prólogo y notas de Jorge Ruedas de la Serna), México, Coordinación de Humanidades-UNAM, 2006, pp. 46-48.

22 *Cf.* Antonio Castro Leal, "José Juan Tablada. Un balance difícil", en *Excélsior* (13-10-1971), p. 7.

23 Ramón López Velarde, *Obras* (ed. de José Luis Martínez), 2ª reimpresión, México, FCE, 2004, pp. 541-542. Se trata de una visita que López Velarde y Jesús Villalpando le hicieron a Tablada en 1914 en su casa japonesa de Coyoacán.

24 En su ensayo "Confidencias y enigmas" (1960), José María González de Mendoza especifica: "medio centenar de anotaciones en japonés, algunas de ellas escritas con ideogramas, pero las más con caracteres latinos. La transcripción de los vocablos japoneses está hecha conforme a la pronunciación inglesa, universalmente adoptada". Éste y quince ensayos más en torno a Tablada y su obra se encuentran en José María González de Mendoza, *Ensayos selectos*, México, FCE, 1970, pp. 114-198.

25 Nina Cabrera de Tablada, *José Juan Tablada en la intimidad*, México, Imprenta Universitaria, 1954, p. 79.

26 *Ibid.*, pp. 108-109.

27 Sobre ese tipo de detalles que me parecen infalsificables, está la noticia asentada por Tablada en su diario de un robo que padeció en su casa de Coyoacán en noviembre de 1905: "Perdí toda mi ropa y Lily toda la suya [...] Lo que más me dolió fue una mascada bordada por mi mamá con las iniciales de mi padre y un kimono que usé durante casi toda mi estancia en el Japón" (*Obras IV. Diario, op. cit.,* p. 65).

28 En el Archivo José Juan Tablada del Instituto de Investigaciones Filológicas, en la "VI. Sección prosa D. Notas de J.M. González de Mendoza" se encuentran un conjunto de observaciones preparatorias para una reedición de *En el país del sol* que nunca se llevó a cabo, en la que se exponen este punto de vista y los siguientes.

29 Este régimen —explica González de Mendoza— restringía a los extranjeros a residir solamente en puertos abiertos al comercio internacional (Yokohama, en el caso de Tablada, la casita que aparece en una acuarela del Archivo Tablada) pero aunque el tratado de 1889 eliminaba ese régimen para los mexicanos, era poco probable que el poeta conociera este hecho y que pudiera aprovecharlo, por su situación económica.

30 *Cf.* Atsuko Tanabe, *op. cit.*, p. 45. Tanabe coincide en la duda del Abate de que Tablada haya podido viajar al oeste de Japón (p. 46).

31 *Cf.* Enrique Cortés, *Relaciones entre México y Japón durante el Porfiriato*, México, Secretaría de Relaciones Exteriores, 1980.

32 Jorge Ruedas de la Serna, *op. cit.*, pp. 29-32, 37-43.

33 *Ibid.*, pp. 43-44.

34 ¿Fueron simples imitaciones de Apollinaire, deudas no reconocidas con De Zayas? No, el asunto es mucho más complejo: Tablada visitó una exposición de pintores futuristas italianos en París, en abril de 1912, y reseñó los kalogramas del artista plástico mexicano José Torres Palomar en enero de 1914, antes de la publicación del primer caligrama de Apollinaire, en junio de 1914, entre otras cosas (*Cf.* Rodolfo Mata, "José Juan Tablada: poeta pintor", prólogo a *Li-Po y otros poemas. Edición facsimilar*, México, Instituto de Investigaciones Filológicas-UNAM, 2017, pp. VII-LXXIII).

35 *Cf.* Atsuko Tanabe, *op. cit.*, p. 87. Incluso llega a mencionar que la dedicatoria del poema "Venus china" a Asataro Okada, fechada "Yokohama, China Town, 1900", coincide con el regreso de Francia a Japón en 1900 de este jurista y erudito del *haikai*.

36 *Cf.* Seiko Ota, *José Juan Tablada: su haikú y su japonismo*, México, FCE, 2014, p. 27. También observa que en "Los funerales de un noble" Tablada dice que pudo asistir al funeral del conde Kiyotaka Kuroda gracias a Mr. L., que puede coincidir con el funcionario del consulado mexicano llamado Américo Lera.

37 Martín Camps, "Pasajero 21: evidencia del viaje de Tablada a Japón en 1900", *Revista de Crítica Literaria Latinoamericana* (Lima-Boston), año XL, núm. 80 (2º semestre, 2014), pp. 377-394 (puede ser consultado en www.tablada.unam.mx).

38 José Juan Tablada, *En el país del sol*, Nueva York, Appleton & Co., 1919, 149 pp.

39 *Cf. En el país del sol. Crónicas japonesas de José Juan Tablada* (prólogo, edición y notas de Rodolfo Mata), México, Instituto de Investigaciones Filológicas-Coordinación de Publicaciones Digitales-DGSCA-UNAM, 2005. Edición electrónica: www.tablada.unam.mx/paisol.html

40 José Juan Tablada, *Los días y las noches de París,* México, Librería de la Vda. de Ch. Bouret, 1918.

41 Para un recuento de ellas, véase mi estudio introductorio a la antología *De Coyoacán a la Quinta Avenida: Una antología general* (selección, edición y estudio preliminar de Rodolfo Mata), FCE/Fundación para las Letras Mexicanas/UNAM, 2007 (Biblioteca Americana. Viajes al Siglo XIX), pp. 24-25.

42 *Cf.* CD-ROM *José Juan Tablada: letra e imagen..., op. cit.* Algunas copias de estas fotos se encuentran en la Colección Archivo Casasola-Fototeca Nacional custodiado por el Instituto Nacional de Antropología e Historia.

43 José Juan Tablada, *Las sombras largas* [Memorias], México, CONACULTA, 1993 (Lecturas Mexicanas, Tercera Serie, 52), pp. 169-170.

44 José Juan Tablada, *Hiroshigué: el pintor de la nieve y de la lluvia, de la noche y de la luna*, México, s.p.i., 1914 (Monografías Japonesas), 119 pp. Se respeta la grafía que eligió Tablada para referirse al pintor japonés, aunque se opta para el resto de las referencias "Hiroshige" que es la más comúnmente aceptada.

45 José Juan Tablada, *Obras IV. Diario, op. cit.*, p. 89.

46 Tablada fechó el poema "Meijí 43 Hachiguetzu Nijiusan nichi" (23 de agosto de 1910, según Atsuko Tanabe), anotó orgullosamente en su diario que el 6 de mayo de 1913 lo leyó a su amigo Pedro de Carrère y Lembeye, quien lo elogió ampliamente, y lo publicó finalmente en *Al sol y bajo la luna* (1918).

47 José Juan Tablada, *Hiroshigué..., op. cit.*, p. 37.

48 Seiko Ota observa que la paráfrasis de Tablada del haikú de Basho tiene una gran semejanza con la que realiza Aston en su *History of Japanese Literature* (1907).

49 Seiko Ota, *op. cit.*, p. 54.

50 Este tema lo traté en "José Juan Tablada: la escritura iluminada por la imagen", estudio preliminar al CD-ROM *José Juan Tablada: letra e imagen..., op. cit.*, en el cual se incluyen versiones electrónicas de los libros visuales del poeta y del manuscrito de *Un día... Poemas sintéticos* (pp. 170-171).

51 *Cf.* Esther Hernández Palacios, *El crisol de las sorpresas*, Xalapa, Instituto de Investigaciones Literarias y Semiolingüísticas de la Universidad Veracruzana, 1994, p. 95.

52 *Cf.* Atsuko Tanabe, *op. cit.*, p. 114.

53 *Cf.* Seiko Ota, *op. cit.*, pp. 97-98.

54 La brevedad fue una tendencia de época que se manifestó en otras formas, sin tener que forzosamente afiliarse a la tradición japonesa. Baste mencionar el volumen *Greguerías* (1917) de Ramón Gómez de la Serna. Cuando Guillermo de Torre afirmó que en *Reflejos* de Xavier Villaurrutia había *haikai*, Jorge Cuesta le retrucó que se trataba de "poemas breves", como los que habían escrito Juan Ramón Jiménez, Rafael Alberti y Federico García Lorca, y que no existía una filiación tabladista y mexicana. No obstante, es muy probable que libros como *Microgramas* (1926), de Jorge Carrera Andrade, hayan recibido el influjo de Tablada.

55 Atsuko Tanabe, *op. cit.*, p. 118.

56 José Juan Tablada, *Obras IV. Diario, op. cit.*, p. 57.

57 *Cf.* Seiko Ota, *op. cit.*, pp. 60-61.

58 *Ibid.*, p. 158.

59 Octavio Paz, "Estela de José Juan Tablada" (1945), en *Obras completas 4. Generaciones y semblanzas. Dominio mexicano*, México, FCE, 2003, pp. 158 y 162.

60 Véase la nota sobre Tablada que escribió Enrique González Rojo para la *Antología de la poesía mexicana moderna* (1928) de Jorge Cuesta.

61 *Cf.* Rodolfo Mata, "Tablada y López Velarde: ¿pareja original de la poesía mexicana moderna?", *Modernidad, vanguardia y revolución en la poesía mexicana 1919-1930* (ed. de Anthony Stanton), El Colegio de México/University of Chicago Press, 2014, pp. 61-84.

62 González de Mendoza da noticia de este proyecto en "Los hai-jines mexicanos", publicado en francés en la *Revue de L'Amérique Latine*, en 1924, y Tablada en su diario menciona a Shimoda a principios de mayo de 1923: "vino Shimoda y trabajamos en la traducción del libro de haikais".

63 *Cf.* José Juan Tablada, "México de día y de noche", en *Excélsior* (13-04-1937), p. 5.

64 Estos vestigios se pueden ver en el archivo gráfico reproducido en el CD-ROM *José Juan Tablada: letra e imagen..., op. cit.*

65 José Juan Tablada, *Cartas a Genaro Estrada (1921-1931)* (edición, prólogo y notas de Serge Zaïtzeff), México, UNAM, 2001 (Nueva Biblioteca Mexicana, 150), 153 pp.

66 El catálogo se puede consultar en la página *José Juan Tablada: letra e imagen* (www.tablada.unam.mx).

EL JAPÓN QUIMÉRICO Y MARAVILLOSO DE JOSÉ JUAN TABLADA. UNA EVALUACIÓN DESDE LAS ARTES VISUALES*

Amaury A. García Rodríguez

os orígenes del trabajo de investigación que sirvieron de punto de partida para la muestra *Pasajero 21. El Japón de Tablada* datan ya de unos cuantos años. En mi caso, todo comenzó en el verano del 2003, cuando Fundación Japón México me solicitó apoyo con una colección de estampas japonesas guardada en el Fondo Reservado de la Biblioteca Nacional, UNAM, de la que no se conocía mucho y que no estaba catalogada. Me encontraba en esa fecha saliendo de viaje a Japón para realizar una estancia de investigación, pero gracias a los esfuerzos de Rodolfo Mata, Esther Hernández Palacios y Aurelio Asiain (entonces agregado cultural de México en Japón), un año después conformamos equipo y recibimos a los profesores Inagaki Shin'ichi 稲垣進一 y Nina Hasegawa, con quienes trabajamos en la primera catalogación de la colección que, según se afirmaba, había sido de José Juan Tablada.[1]

A partir de ese momento, se han prolongado y multiplicado los caminos de esa pesquisa y de aquellos otros que trazó Tablada en su relación con el arte japonés, se han incorporado otras colecciones, han "aparecido" piezas de interés, y una experiencia concreta con la catalogación de una colección de *ukiyo-e* 浮世絵[2] terminó convirtiéndose en un proyecto de investigación de años, y que comprende no sólo la exposición y el libro *Pasajero 21. El Japón de Tablada* en el Museo del Palacio de Bellas Artes, sino además otros resultados.[3]

Hago este breve comentario inicial para mostrar cómo, a pesar de que mi especialidad es la historia cultural de Japón, y en específico, la estampa japonesa, los azares del destino me han devuelto a México, y a Tablada en concreto; a una investigación que he encontrado fascinante y muy pertinente a pesar de todo

lo que se ha investigado y escrito sobre el poeta; a lo acertado del trabajo multidisciplinario y su capacidad de brindar otras aristas y enfoques que nos permiten construir un horizonte mucho más completo y complejo de un caso de estudio particular, en esta ocasión, la relación de José Juan Tablada las artes visuales japonesas.

Por supuesto, esta labor puede ser en ocasiones ingrata, ya que nos enfrenta al hecho de celebrar y cuestionar, a la vez, a ese personaje histórico al que le hemos dedicado tantos años de estudio, pero que necesitamos valorar de manera adecuada. En el caso específico que nos atañe, José Juan Tablada fue alguien particularmente complejo que combinó en su persona disímiles facetas que pueden ir de una producción literaria de vanguardia a ideas políticas altamente conservadoras,[4] de la alta sensibilidad estética a la fanfarronería, de una meticulosa y encomiable labor de recopilación de información y objetos a la repetición acrítica de clichés, por poner sólo tres ejemplos de los tantos que se transparentan en sus propios textos y que mencionan los investigadores que han escrito en abundancia sobre él.

En este sentido, la investigación aquí presentada se centra, desde la perspectiva de la historia del arte japonés, en reconstruir y analizar cuál fue la relación específica de Tablada con las artes visuales de Japón; cuáles fueron sus fuentes (las declaradas y las no dichas), así como el conocimiento específico y real que de este tema sus textos delatan; cuál fue su labor como difusor del arte japonés en México; y cuáles fueron su biblioteca y sus colecciones.[5]

Por cuenta del espacio limitado que tenemos en este libro, concentrémonos entonces en los encuentros de Tablada con Japón y con el arte japonés, que formaría parte de su vida tanto física como espiritual y que lo acompañó desde su más temprana edad. Ese encuentro primero del poeta y cronista con el arte nipón se recoge en un pasaje del libro *José Juan Tablada en la intimidad*, escrito por su viuda, Nina Cabrera de Tablada, en el que comenta:

Era entonces José Juan un niño de cinco a seis años, y andando por la casa de su hermana cierto día, descubrió de pronto, olvidado en un sillón, un libro que no se parecía a los que hasta entonces, había visto. Tenía pastas flexibles, color crema, con un título azul escrito en raros caracteres. Lo abrió y, como si de repente hubiera entrado

Agustín Casasola y Miguel Casasola
José Juan Tablada en su casa, 1937
Fig. 11

en el Paraíso Terrenal, comenzó a ver, maravillado, pájaros y flores dibujados con preciosos contornos e iluminados con vivos colores. Eran aves marinas que se destacaban sobre fondos en los que hacía horizonte la inmensidad del Océano o sobre encendidos crepúsculos y playas salpicadas de caracoles, conchas y estrellas marinas…

Pero lo que más le impresionó, con la intuición del futuro estético que había de predominar en su vida y darle los más hondos deleites, fue lo preciso del dibujo, la síntesis lograda. Y, conmovido, me decía que la emoción que sintió a los cinco años fue tan honda y tal fascinación le causaron las estampas, que con infantil inocencia quiso apoderarse del libro, como cosa suya; y cuando alguien se lo quitó de las manos lloró inconsolablemente.

El carácter, el estilo, la calidad de las estampas del libro misterioso, se quedaron grabados en su mente con tanta firmeza que, cuando tres lustros después cayó en sus manos un álbum de xilografías japonesas, lo identificó con aquel que encantó una hora de su remota infancia. Así, a los cinco años descubrió José Juan Tablada, por sí solo, el arte de la estampa japonesa, que habría de llenar toda su vida con las más hondas emociones estéticas.[6]

Como vemos, el primer contacto de Tablada con la producción visual de Japón (y posiblemente con el país mismo), que para las mentes y rumbos del México de fines del siglo XIX debió ser realmente lejano y desconocido, ocurrió a través de un libro ilustrado. Si hacemos caso de lo que Nina nos dice, y de los recuerdos del poeta, podemos identificarlo como un *wahon* 和本, o *libro japonés*, por cuenta del tipo de encuadernación que se describe.[7] Hoy día sabemos que "el misterioso libro" al que hace referencia Nina era uno de los volúmenes de los *Bosquejos de Hokusai* (*Hokusai manga* 北斎漫画, 1814-1878), el mundialmente famoso libro del pintor e ilustrador Katsushika Hokusai 葛飾北斎 (1760-1849), publicado en 15 volúmenes, con diversas reediciones a lo largo de los años, y que tiempo después Tablada incorporó a su colección.[8] Tablada menciona el título del libro en un artículo publicado en 1905 en el periódico *El Mundo Ilustrado*:

Katsushika Hokusai 葛飾北斎 (1760–1849)
Bosquejos de Hokusai (*Hokusai manga* 北斎漫画), vol. 14, 1878
Cat. 78

> Yo bendigo al hado, al *Kami* iniciador y propicio que hace muchos años, una tarde otoñal de mi niñez, puso un libro de la *Mangwa* en mis manos, y a través de Okusai y de la poética de Ono-no-Komati, antes de Togo y de Oyama, me hizo consagrar el más ferviente amor de mi alma al divino y mágico país…[9]

El propio Tablada en alguna que otra ocasión comenta sobre el proceso de búsqueda de este libro, preciado para él. En un artículo de 1905, cinco años después de su regreso de Japón, rememora que una vez en Yokohama quiso ir a la ciudad de Kobe,[10] donde se haría una subasta del *Hokusai manga*, pero que no tenía dinero; este libro "ha sido la más grande tentación de mi vida", se lamenta al final del texto.[11] Sin embargo, durante ese mismo viaje a Japón, sus deseos se verían recompensados, ya que, si hacemos caso a una nota de su puño y letra sobre la portada del volumen 14, que se conserva hoy en la Biblioteca Nacional de México en la UNAM, compraría en Yokohama al menos uno o varios de los tomos de esa obra.

Además de las ansias por poseer estos libros, ese primer encuentro con las ilustraciones de Hokusai debe haber alimentado enormemente su curiosidad y su fantasía. Él mismo habla del encanto que le producían la lectura de *Las mil y una noches* y las novelas de Julio Verne (1828-1905);[12] de los mundos exóticos y lejanos no sólo construidos por la literatura infantil y juvenil, sino por toda aquella otra producción cultural cargada de componentes orientalistas, que surgía en la Europa decimonónica a través de la literatura, la música y las artes visuales, producción de la que Francia fue uno de sus más importantes exponentes, y que Tablada mismo consumía mediante los textos en francés y en español que le llegaban a la mano.

En su fascinación por Japón, el joven Tablada fue entonces configurando, sobre todo a través de la lectura, un imaginario de un país de cuentos, maravilloso; de emperadores y guerreros, de castillos y templos, de exóticas y bellas mujeres. A sus veinte años, seguro que ya conocía los textos de corte orientalista de Gustave Flaubert (1821-1880) y de Pierre Loti (1850-1923), se mantenía al tanto del impacto que "lo japonés" estaba teniendo en el viejo continente, y sabía qué se publicaba sobre Japón en París.[13] Es de esperar que, sobre todo en esos años mozos, el componente erótico, parte constituyente de lo exótico orientalista y japonista, aflore en sus textos.[14] La estampa *ukiyo-e* con tema de mujeres, la cual ya conocía, fue precisamente la que alimentó el tema de sus primeros dos artículos cortos sobre arte japonés.

Katsushika Hokusai 葛飾北斎
Bosquejos de Hokusai (*Hokusai manga*
北斎漫画), vol. 15, 1878
Fig. 49

José Juan Tablada
"El despertar de la 'musme' (Acuarela de 'Kunisada')", *Revista Azul*, 24 de junio de 1894
Fig. 53

Dichos textos, "El despertar de la 'musmé'[15] (Acuarela de 'Kunisada')" y "La elección del vestido. Estampa de Toyokuni", fueron publicados respectivamente por la *Revista Azul*, en 1894, y la *Revista Moderna*, en 1899.[16] Ambos son muy parecidos en tema, recursos y estructura; a partir de un *ukiyo-e* que supuestamente lo inspira, hace una descripción de éste y del personaje femenino representado y, a su vez, imagina las posibles acciones y pensamientos de cada una de las mujeres que aparecen en las estampas.[17] Con una prosa lírica va construyendo el escenario donde están ubicadas estas dos mujeres, aportándole una carga deliberadamente erótica a través de frases como: "la alcoba penumbrosa y sus frágiles muros de trémulo papel", "suspiros frú frú de seda removida". Este recurso es repetido cuando se detiene a detallar a las mujeres: "cuerpo ágil, oloroso a sándalo, de eburneal blancura", "su negra cabellera, su eterna coquetería", "el aroma de tus senos en flor", "la cortesana de cuerpo ondulante", "hada de los kioskos verdes del Yoshivara",[18] "iniciada [...] en todos los misterios venusinos", "surgirán de su boca los ochenta ósculos enervantes de su ritual erótico".

Hoy es realmente muy difícil identificar con certeza cuáles estampas estaba "describiendo" Tablada. Aun tomando como veraz el dato de que se tratan de Kunisada una y de Toyokuni la otra, esto no nos dice mucho. A lo largo de sus textos Tablada confundió siempre la identidad de Kunisada I y de Toyokuni III,[19] cuando ambos nombres se refieren a una misma persona. Utagawa Kunisada I es considerado hoy día como el ilustrador de *ukiyo-e* con mayor producción en la historia; se asume que elaboró más de veinticinco mil diseños sólo para estampas, sin contar los libros ilustrados que realizó. No hay tampoco, en lo que queda de la colección de *ukiyo-e* de Tablada, ningún ejemplo que se acople con estos textos.

Es entendible, aunque errado, el hecho de que lo que repite Tablada casi siempre acerca de las mujeres en el *ukiyo-e* no sólo es una visión exaltada y erotizada de ellas, sino que casi de forma invariable asocia a esas representaciones femeninas con prostitutas, disfrazándolas bajo los términos de "cortesanas", "mujeres de las casas verdes", "geishas", entre otros. Es importante comentar que el comercio sexual, y su representación a lo largo del periodo Edo en Japón, fue muy abundante,[20] por lo que esa sublimación había sido ya incorporada a la cultura popular japonesa previa a la apertura comercial de Japón con Occidente a mediados del siglo XIX. El tema de las mujeres bellas o *bijin-ga* 美人画 en el *ukiyo-e* fue uno de los contenidos genésicos y más populares de la producción de estampas, como podemos ver en algunas de las piezas que conforman la colección de Tablada (pp. 225-249). Por lo tanto, ésta era la visión más común que se tenía de esas estampas en aquella época en Europa, marcada por el desconocimiento de quiénes eran en realidad las mujeres ahí representadas, cuyas identidades incluían no sólo prostitutas y entretenedoras, sino también mujeres comunes o personajes de la literatura.

72

Kitagawa Utamaro 喜多川歌麿 (1753-1806)
Sin título (Mujer y gato), *ca.* 1793-1794
Fig. 21

Por supuesto, el propio contexto orientalista y japonista europeo, donde uno de los ingredientes primordiales fue la exotización y por ende sexualización del otro por excelencia, es decir, la erotización de la representación de la mujer, dejó una marca en el joven Tablada, más allá de los calores de sus años mozos. El siglo XIX además fue testigo de un crecimiento importante de la producción de literatura e imágenes sexualmente explícitas en Europa; de la definición moderna del término pornografía;[21] y de la circulación y el coleccionismo de estampas japonesas, muchas de ellas con temas de mujeres, así como *shunga* 春画 (estampas eróticas).[22]

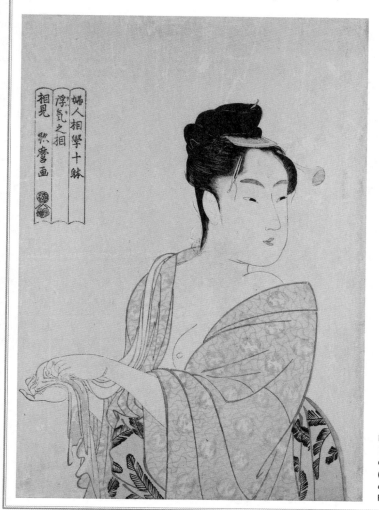

Kitagawa Utamaro 喜多川歌麿
Tipo coqueta (*Uwaki no sō* 浮気之相),
de la serie "Diez fisionomías femeninas"
("Fujin sōgaku jittai" 婦人相学十躰),
ca. 1792-1793
Fig. 22

Creemos que en el México del poeta y cronista también hubo una circulación importante de esas estampas eróticas. Atsuko Tanabe, en su libro sobre el japonismo de Tablada, comenta "la interesante leyenda, según José Emilio Pacheco, de que en la época inicial de la *Revista Moderna* los jóvenes bohemios pagaban con álbumes de textos y dibujos pornográficos al millonario Jesús E. Luján, mecenas de aquel grupo, justamente como hacían los pintores japoneses del género *ukiyo-e*".[23] Además de esta referencia, conocemos de libros y álbumes eróticos japoneses en colecciones mexicanas, pero aún seguimos investigando su procedencia y si tuvieron vínculo alguno con Tablada. Sólo nos quedan algunas menciones y descripciones que hace el poeta de imágenes de este tipo que vio tanto en libros como quizás en originales. Nos llama la atención, por cierto, que son realmente pocos los momentos donde habla de las estampas eróticas japonesas, y toma casi siempre como referencia los comentarios de otros;[24] quizás su silencio haya estado marcado por el fantasma de la censura directa de Carmelita Romero Rubio, esposa de Porfirio Díaz, hacia su poema "Misa negra", por cuenta de sus contenidos "eróticos y blasfemos",[25] cuando lo publicó por primera vez el 8 de enero de 1893, en el periódico *El País*.

Son también de esos años jóvenes varios de los dibujos y acuarelas que Tablada realiza con temas muy diversos, sea de manera lírica, sin un modelo identificable, o a partir de las imágenes que ve en sus libros. Hoy día se resguardan muchos de ellos en el Archivo Gráfico Tablada del Instituto de Investigaciones Filológicas de la UNAM; algunos, de inspiración japonesa, también se reproducen por vez primera en este libro. De hecho, combinando el estudio de estos dibujos con lo que conocemos sobre su naciente biblioteca y colección, podemos ir armando un panorama no sólo de cuáles van a ser sus obsesiones,[26] sino también qué fuentes comienzan a formar su conocimiento sobre arte japonés, así como qué sesgos arrastra, tanto a su viaje a Japón en 1900, como durante el resto de su vida.

Desde niño, Tablada mostró talento para el dibujo. Su padre lo apoyó en este sentido, y él recuerda el papel de su tío Pancho en "el principio del amor a la pintura y a las artes plásticas en general que ha dominado mi vida", así como en el manejo de diferentes técnicas.[27] De esos dibujos, apuntes y cuadernos que

Katsushika Hokusai 葛飾北斎
Libro ilustrado de modelos de parejas
(*Ehon tsuhi no hinagata* 絵本つひの雛形), *ca.* 1812
Fig. 15

se conservan en el Archivo Gráfico Tablada, quisiera comentar uno cuya primera parte se dedica básicamente a dibujos japoneses.[28] Es un cuaderno conformado por recortes de dibujos que al parecer se encontraban en otros cuadernos, o sueltos, y que él reunió y pegó (pp. 144-149, 151). Por las fechas de muchos de ellos, así como por la comparación del estilo, papel y técnica empleada, este conjunto parece haber sido producido entre los años de 1892 y 1895. En el intento por rastrear sus fuentes, hay, por lo menos, dos de ellas claras. La primera corresponde a las imágenes reproducidas en los libros sobre Japón que poseía; la segunda está vinculada con la amistad que el poeta desarrolla con Pedro de Carrère y Lembeye, diplomático español radicado en México y vecino de Coyoacán.[29]

En varias ocasiones escribe Tablada con mucha simpatía de esta relación con Carrère, hacia quien tenía una alta consideración, y en casa del que disfrutaba no sólo de la conversación, sino también de admirar las obras de arte y libros japoneses que tenía.[30]

Tomando té en aquel salón o bajo el kiosco de madreselvas del jardín fui iniciado por el sabio amateur en las difíciles técnicas de las artes e industrias del extremo oriente y en las normas que lo presiden y cuando años más tarde fui al Japón, no tuve más que ratificar y confirmar las enseñanzas de mi docto amigo a quien por ello recuerdo con el afecto lleno de gratitud que se le debe a un maestro y a un mentor.[31]

José Juan Tablada
Cuaderno que incluye varios dibujos de tema japonés, ca. 1892-1914
Cat. 24

Tai-ko-bo (j)

Anciano japonés (k)

De un biombo de la antigua escuela Kano, 1893 (c)

Uno de los dibujos incluidos en ese cuaderno que mostramos aquí es la copia hecha por Tablada de un fragmento de la decoración de un biombo de la casa de Carrère y Lembeye. En la nota que incluye en la parte frontal del dibujo, y que lleva la fecha de 1893, añade que se trata de una escena de un biombo de la antigua escuela Kanō 狩野派,[32] y que representa la salida del emperador. Determinar cómo era ese biombo de la casa de Carrère es prácticamente imposible, ya que para esa época se habían producido muchos biombos, muebles, abanicos y demás objetos dirigidos al mercado occidental, y Tablada tampoco aporta información extra; por lo tanto, aquí no podemos tener certezas acerca del tipo de producto que era. Con sólo ese breve comentario de Tablada no podemos hacer mucho; sin embargo,

Tosa Mitsunobu 土佐光信 (1434-1525)
Akashi 明石, escena del capítulo 13 de
Los cuentos de Genji (*Genji monogatari*
源氏物語), 1509-1510
Fig. 37

José Juan Tablada
Cuaderno que incluye varios dibujos de
tema japonés, *ca.* 1892-1914
Cat. 24

Figuras japonesas (e)

Principe japonés, 1895 (o)

Noble japonés, 1895 (p)

si nos detenemos en lo representado y en el estilo, hay varios elementos que nos sirven para traer algo de luz al dibujo.

En primer lugar, el estilo no corresponde para nada con la escuela de pintura Kanō, como Tablada afirma; tiene mucho más que ver con el tipo de pintura de escuelas como la Tosa 土佐派[33] o, posiblemente, posteriores. Por otro lado, el motivo que vemos en ese fragmento de dibujo es uno que pintores y escuelas distintas repitieron mucho a lo largo del tiempo. Es, en concreto, una escena vinculada con el capítulo XIII, *Akashi* 明石, de la célebre novela de Murasaki Shikibu 紫式部 (*ca.* 978-1016) *Los cuentos de Genji* (*Genji monogatari* 源氏物語, siglo XI), en la que vemos al príncipe Genji a caballo, quien está siendo guiado para encontrarse con la dama Akashi.

Los motivos y escenas provenientes de *Los cuentos de Genji* fueron uno de los conjuntos iconográficos que más se copiaron y reprodujeron en la pintura japonesa a lo largo de su historia. Consecuentemente, esta misma escena con sus variaciones y muchos otros pasajes de la novela aparecen como referencias en la obra de pintores famosos y no conocidos también. En este caso, quién fue el pintor del biombo de Carrère, o a partir de cuál copia se realizó, queda en los límites de la especulación. Lo mismo pasa con otros cuatro dibujos similares que se encuentran en el cuaderno, y que es probable que se vinculen con los capítulos XVI, *Sekiya* 関屋, y XXIX, *Miyuki* 行幸, entre otros.

León Metchnikoff (1838-1888)
L'Empire Japonais, 1881
Fig. 50

Es importante comentar que en esos años, las posibilidades reales de entrar en contacto con obras de arte japonés originales aún no eran tan amplias en México.[34] A pesar de que desconocemos sus dimensiones, el comercio y mercado para este tipo de obra seguramente dependían de mediadores europeos y estadounidenses, por lo que para el joven poeta, oportunidades como las que brindaban sus encuentros con Carrère, y quizás con otras fuentes ocasionales que no menciona para esta época, hayan sido muy limitadas.

Además de la relación con Carrère y Lembeye como vía para el contacto con objetos de arte japoneses, la principal fuente temprana que se evidencia en sus dibujos, y que continuará siendo una de las más significativas en sus escritos sobre arte japonés, son los libros.

Aunque nos falta aún investigar de manera más profunda todos sus dibujos de temas japoneses, en el mencionado cuaderno hay otro grupo que son copias de ilustraciones de libros con los que Tablada tuvo contacto. Caso fácil son los dos recortes de dibujo, uno que titula "príncipe japonés" y el otro "noble japonés", y bajo los que también anota "Metchnikof", dato que nos apunta directamente al libro *L'empire japonais*, publicado originalmente en 1878 por Léon Metchnikoff,[35] y del que hoy día se conserva una copia de 1881 en la Biblioteca Nacional de México.[36] Otros dibujos que hemos podido identificar, aunque

Tablada no nos aporta ningún dato en ellos, han sido de libros que menciona ocasionalmente en los artículos que escribe en 1900 para la *Revista Moderna*.

En su texto "Álbum del Extremo Oriente. Los pintores japoneses", menciona los nombres de Reed[37] y de Louis Gonse (1846-1921), y es este último, y en concreto su texto *L'art japonais*,[38] la fuente de gran parte de sus dibujos (tanto los del Archivo Gráfico como otros que utiliza para ilustrar algunos de sus artículos). Se trata de un libro que debió haber causado una gran impresión en Tablada (quien lo cita en varias ocasiones a lo largo de los años), no sólo por cuenta del texto, sino porque está profusa y bellamente ilustrado. Este libro fue el primer in-

José Juan Tablada
"Álbum del Extremo Oriente. Los pintores japoneses", *Revista Moderna*, 1ª quincena de mayo de 1900
Fig. 52

Uzume [copia de Hokusai] (a)

Pez [copia de Hokusai] (b)

tento, en una lengua europea, por lograr una síntesis general del arte japonés. Tiempo después se hicieron otras dos ediciones compactadas en un tomo y con menos ilustraciones. Afirmamos que la que Tablada consultó o compró fue la primera en dos tomos, debido al número de coincidencias en sus dibujos con las ilustraciones de esa primera edición, imágenes, algunas de ellas, que no están incluidas en las ediciones posteriores. De acuerdo con los nombres que Tablada mismo anota, los dibujos del Archivo Gráfico que copió directamente del libro de Gonse son: *Daruma, Cazador, Anciano japonés, Hombre leyendo, Ishikava Toshitaron*,[39] *Shamisen*, y los dos dibujos de peces.

De igual forma, los tres dibujos que ilustran el artículo de la *Revista Moderna* referido en el párrafo anterior están copiados del mismo libro de Gonse; ellos son: *Retrato de Kanaoka, Uzume y Pez*. Es de resaltar que a pesar de que en el texto de Gonse hay muchas ilustraciones del libro japonés *Sabiduría y costumbres de antaño* (*Zenken kojitsu* 前賢故実, *ca.* 1868),[40] de Yôsai,[41] y que Tablada copia algunas de ellas, en el cuaderno del Archivo Gráfico hay dos que no están en *L'art japonais*. Junto a estos dos dibujos del cuaderno, el mismo Tablada anotó que los copió en 1895 del *Zenken kojitsu*, por lo que, reforzando lo que Rodolfo Mata dice en su comentario para este dibujo en el CD que reúne la obra gráfica del poeta,[42] debe haberlo tomado directamente del original japonés que conservaba en la biblioteca su amigo Carrère y Lembeye, y que después Tablada incorporó a su propia colección.[43]

José Juan Tablada
Cuaderno que incluye varios dibujos de
tema japonés, *ca.* 1892-1914
Cat. 24

Hombre leyendo (ñ)

Daruma (g)

José Juan Tablada
Cuaderno que incluye varios dibujos de tema japonés, *ca.* 1892-1914
Cat. 24

Cazador (h)

José Juan Tablada
Yokohama, entre Motomachi y el Gran Canal, 1900
Cat. 34

Otras dos acuarelas que componen el Archivo Gráfico marcan referencias concretas al viaje que realizó Tablada a Japón en el año de 1900. Una de ellas reproduce la puerta del *Jardín de té japonés* del parque Golden Gate en la ciudad de San Francisco, y está fechada el 30 de mayo de 1900 (p. 156). La otra representa la vista de una callecita japonesa en Yokohama, fechada el 26 de agosto de 1900, y sobre la que anota "entre Motomachi y el Gran Canal". Si leemos la primera crónica que sobre su viaje a Japón publica en la *Revista Moderna* en septiembre de 1900,[44] hay un momento donde menciona que se ha instalado en una callejuela un poco apartada de las zonas más atareadas de la ciudad; más tarde, en su texto "La mujer de Tjuan-Tsé", en la misma revista, dice que "mi casa, por un excéntrico capricho, sale del barrio europeo donde debía estar confinada, sale de su quietud nocturna y de su puritanismo burgués y por quién sabe que veleidades de curiosidad indiscreta se empina sobre los barrios chinos…".[45] Esa área que describe Tablada en sus comentarios sobre su lugar de residencia en Yokohama coincide

perfectamente con la zona de Motomachi y el Gran Canal que anuncia en la acuarela, por lo que esta imagen podría coincidir con la casa o barrio donde vivió allí. Hoy día, toda esa parte de la ciudad de Yokohama está completamente transformada con construcciones contemporáneas, por lo que es imposible localizar la casa de la acuarela.

No voy a insistir demasiado en la experiencia del viaje a Japón;[46] lamentablemente no abundan los comentarios o descripciones sobre ejemplos de obras o espacios de arte con los que estuvo en contacto. Por lo que dice, pareciera que más bien merodeaba por las tiendas de antigüedades o librerías de Yokohama,[47] y que la mayoría de sus salidas fuera de esa ciudad fueron con alguien más que lo llevaba. Sólo para los casos de las crónicas sobre su visita al parque de Shiba 芝公園 y al templo Zōjōji 増上寺 en Tokio,[48] a la casa del tal Miyabito,[49] y al teatro *kabuki* 歌舞伎 (pp. 38-39),[50] es que podemos escucharlo/leerlo exaltado frente a esos edificios, piezas y obras que ve, pero arrastrando muchos de los clichés que ya se había construido desde México y que reproduce en una buena parte de sus crónicas de Japón y de sus escritos posteriores, con frases como "arte milenario", "construcciones de maderas balsámicas", "hálitos de misticismo por doquier", "apoteosis feérico de un sueño encantado", entre otras. Es como si el Japón idílico e imaginario que extrajo de sus libros se impusiera frente a la realidad concreta que estuvo viviendo.

Autor no identificado
Calle Motomachi, Yokohama, s.f.
Fig. 2

Motomachidori. Yokohama　ﾘ 通 町 元 濱 横

Hasegawa Takejirō 長谷川武次郎
(1853-1938) [editor]
Kate James (¿?) [traductora]
The Matsuyama Mirror, 1889
Fig. 48

Como él mismo dice, refiriéndose al barrio extranjero de Yoko-hama, "aquellos elementos banalmente europeos y agriamente mercantiles infiltraban su palmaria fealdad en mi pura sensación de Arte; pero al fin el Arte pudo más que ellos…".[51]

Ese Japón, y ese arte japonés sublimado, en realidad aparecían con mucha frecuencia, sobre todo, en una buena parte de la literatura en francés que consumía el poeta. Hoy día podemos tener una idea más concreta de muchas de sus fuentes, así como de los debates en torno a ellas y a sus autores. A pesar de que una gran parte de lo que leía sobre Japón era del francés, y de que era esa la lengua extranjera que mejor manejaba durante su viaje a Japón, encontramos evidencia de que Tablada ya desde antes también leía en inglés. En este sentido, discrepamos de Atsuko Tanabe cuando dice que "es dudoso que ya estuviera suficientemente capacitado para acudir a la bibliografía anglosajona".[52]

Independientemente de que hubiera podido utilizar el francés en algún momento en Japón, y partiendo del entendido de que Tablada no hablaba ni leía japonés,[53] la lengua común para la comunicación con los extranjeros en la Yokohama de esos años era el inglés. Además contamos con estas otras pruebas tempranas: en una de las crónicas sobre su viaje a Japón, publicada en *Revista Moderna* en diciembre de 1900,[54] realiza adaptaciones de varios poemas japoneses desde el inglés, utilizando el libro de Basil Hall Chamberlain;[55] aún antes, en el texto que comentamos unos párrafos atrás sobre los pintores japoneses, menciona al autor anglófono Edward J. Reed,[56] y en su artículo "Divagaciones", de principios de 1900, al hablar de su naciente biblioteca,[57] apunta que ha estado adquiriendo los títulos *The Old Man and the Devils*, *The Fisher Boy Urashima* y *The Matsuyama Mirror*, que formaron parte de una serie de libros sobre cuentos folclóricos y fantásticos japoneses publicados en inglés en Tokio, por la editorial Kobunsha, entre 1885 y 1889.

Hay muchas más instancias en su diario, en otros textos posteriores a su regreso de Japón y durante los años en que vivió en Nueva York, donde comenta sobre algún autor o texto en inglés.[58] Sin embargo, resulta muy revelador que, si hacemos un balance de los libros que menciona y del lugar que les otorga en su propia obra, hay una evidente preferencia por la literatura francófona sobre arte japonés en detrimento de la anglófo

Louis Aubert (1876-¿?)
Les Maîtres de l'Estampe Japonaise, 1914
Fig. 43

Louis Gonse (1846-1921)
L'Art Japonais, 1883
Fig. 47

Él mismo aclara, en una entrada de su diario fechada el 26 de marzo de 1923 lo siguiente:

> Hoy me llegó de París el libro *Les Maîtres de l'Estampe Japonai-se*, por Louis Aubert, ilustre japonista que me era ya conocido. Apenas lo he hojeado y ya me prometo una deliciosa lectura. Este libro es un libro de artista sobre artistas, bien distinto a los documentados pero literariamente ínfimos libros que los sajones suelen escribir sobre Arte japonés. En este libro de Aubert adivino las emociones que va a producirme, las que sólo me han producido al discurrir sobre el Japón, los De Goncourt [...] [59]

Es precisamente una parte de esa literatura francófona de corte japonista[60] la que marcará sus gustos y sus sesgos, una literatura, como él dice, "de artista sobre artistas", en la que muchas veces el arte de la escritura sofocaba la objetividad o el rigor de la información, o en la que la experiencia y juicio estéticos del autor frente a alguna obra de arte japonesa tenía un peso mayor que los contextos de donde provenía el objeto, pues la gran mayoría de estos autores no eran especialistas, no conocían Japón ni su lengua, y la información que tenían en ese momento

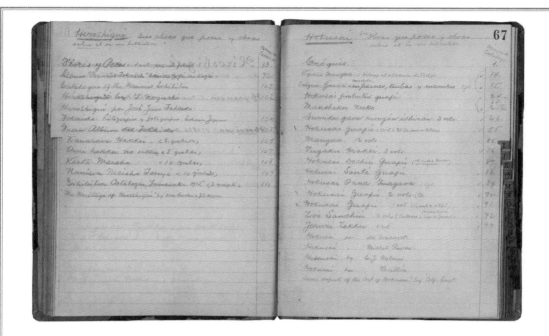

José Juan Tablada
Catálogo de pintores japoneses. Sus obras en mi colección y literatura sobre ellos, núm. 2, s.f.
Cat. 23

sobre este país era muy limitada. Este problema fue, de hecho, bastante criticado desde épocas muy tempranas. En 1927 ya hay cuestionamientos fuertes acerca del supuesto papel de los De Goncourt como "descubridores" del arte japonés, así como sobre el conocimiento real que poseían respecto de la estampa japonesa, Utamaro o Hokusai.[61] Por otro lado, el libro de Louis Gonse, *L'art japonais*, fue objeto de un acalorado debate por parte de Ernest Fenollosa y William Anderson,[62] quienes cuestionaban el exceso de "entusiasmo" de Gonse, y los franceses, con respecto a Hokusai, así como su evaluación general del arte japonés.[63] Un argumento de extraordinaria relevancia aquí fue el papel que estaban desempeñando en París algunos *dealers* de arte japonés, como los casos de Hayashi Tadamasa o Samuel Bing, para posicionarse en el mercado del arte en Europa, y la manera en que adulaban a algunos de estos autores franceses y sus opiniones como una estrategia comercial para mantener sus ventas.[64]

No podemos asegurarlo, pero es muy probable que Tablada no estuviera muy al pendiente de estas discusiones. Si revisam los pocos textos que escribió sobre arte japonés,[65] no vem tipo de cuestionamientos. Es cierto que fue muy meticu

cuanto a recopilar información de todo tipo, así como obsesivo en el coleccionismo de la mayor cantidad de libros posibles sobre el tema.[66] Sin embargo, muchas veces su juicio histórico y crítico queda subsumido en su propia construcción imaginaria sobre Japón, y también en su deseo de hacer literatura disfrazada de ensayos históricos.

Como menciona Luis Rius Caso en su texto, la sensibilidad estética de Tablada, sumada al conocimiento que tenía de su propio contexto biográfico en México, lo favoreció mucho en su labor de crítico de arte moderno mexicano. No obstante, el no tener una experiencia de vida, de inmersión, en la sociedad japonesa y en su lengua —a pesar de los meses que pasó en Japón—, y su falta de entrenamiento académico como historiador, lastran, en ocasiones, algunos de los textos que escribe, como es el caso de su libro *Hiroshigué: el pintor de la nieve y de la lluvia, de la noche y de la luna* (pp. 166-167), de 1914, que intentaba convertirse en punto de referencia sobre arte japonés en lengua española.

Ese bello libro pretende ser un homenaje al trabajo como japonista de Edmond de Goncourt. Tablada mismo dice que es su deber continuar con la idea original del escritor francés de producir una monografía sobre Utagawa Hiroshige 歌川広重 (1797-1858), otro de los ilustradores y artistas del *ukiyo-e* famosos en la Francia de fines del siglo xix y principios del xx.

A pesar de que, a diferencia de otros de sus textos sobre arte japonés, Tablada incluye un número importante de referencias de sus fuentes, el libro de *Hiroshigué...* es en muchas partes un mero recuento informativo de lo que han escrito algunos de los autores que cita, y otros que no cita.[67] Como sucedió con su visión del libro de Gonse que mencionamos atrás, hay también una carencia de debate sobre sus fuentes,[68] y en algunas ocasiones inventa pasajes imaginarios de la vida de Hiroshige para quizás darle un "toque" literario a parte de su prosa. Este es el caso del fragmento en que relata el supuesto encuentro entre el joven Hiroshige con el ilustrador Sharaku (Tōshūsai Sharaku 東洲斎写楽, activo entre 1794-1795) —de quien no se conoce aún su identidad, y quien no corresponde con la época en que vivió Hiroshige—, y con el editor Tsutaya Jūzaburō 蔦屋重三郎 (1750-1797), quien falleció justo en el año de nacimiento de Hiroshige. Por lo tanto, es importante tener en cuenta

Utagawa Kunisada I 歌川国貞, también
conocido como Toyokuni III 三代豊国
(1786–1864)
Retrato póstumo de Hiroshige (*Hiroshige
no shini'e* 広重の死絵), 1858
Fig. 39

que, no obstante lo entusiasta del trabajo, así como la consulta
y referencia de un número importante de obras sobre Hiroshige y sobre *ukiyo-e* disponibles en el momento, el libro no es
un texto especializado, académico, sobre el artista ilustrador y
pintor japonés. Sería injusto evaluarlo con esos parámetros o
partir del conocimiento que poseemos hoy sobre estos tem
El *Hiroshigué*... de Tablada es, sobre todo, un ensayo líri
libro de difusión, que tiene errores, ausencias y desacie
él, además, viene información muy valiosa para respon
que mencionamos en el primer párrafo de este text

a
nas.
o, un
rtos. En
der a algo

Una de las preguntas que siempre nos formulamos durante el proceso de catalogación de la colección de estampas japonesas de la Biblioteca Nacional en la UNAM fue si realmente esas piezas habían sido de Tablada. En ese momento no se habían podido encontrar pruebas documentales contundentes, en los registros de la Biblioteca, sobre la procedencia de esas piezas o cómo llegaron hasta allí. Tanto el archivo de Tablada, resguardado hoy en la biblioteca del Instituto de Investigaciones Filológicas de la UNAM, como los libros de la antigua biblioteca del poeta que se encuentran desperdigados en diferentes ubicaciones del país y la colección de estampas y de libros japoneses del Fondo Reservado de la Biblioteca Nacional, parecen haber llegado por vías diferentes.

Para la identificación de los títulos de su biblioteca, tenemos la ventaja de que acostumbraba estamparle sus exlibris y en ocasiones llegó a firmarlos y anotarlos. Aun así, el reto más grande que seguimos enfrentando para su ubicación es que no conta-

Autor no identificado
Copia del retrato de Tablada que estaba en su biblioteca, s.f.
Fig. 3

mos con un listado de cuáles fueron, y no siempre se conserva el registro de que pertenecieron a Tablada, o esa información no está incluida en las bases de datos para facilitar la búsqueda, por lo que es prácticamente un trabajo arqueológico de recuperación en algunas de las bibliotecas donde se encuentran.[69] Por otro lado, el conjunto de libros ilustrados japoneses resguardado en el Fondo Reservado de la Biblioteca Nacional nos ofrece pistas interesantes que alumbran al grupo que Tablada adquirió de su amigo Carrère y Lembeye, y que incorporó a su propia colección en junio de 1913.[70] Finalmente, para el caso de las estampas japonesas, el libro *Hiroshigué...* hace mención explícita de varias piezas que Tablada mismo dice que formaban parte de su colección, las cuales por fortuna se conservan hoy (pp. 195, 196-199, 222, 223, 250-251). Como regalo adicional, en la etapa final de cierre de este libro, la Dra. Silvia Salgado, coordinadora de la Biblioteca Nacional de México, encontró la mención, en un documento de la historia de la Biblioteca, de que el conjunto de estampas japonesas fue comprado a Tablada.[71] Consecuentemente, ésta es nuestra primera prueba dura acerca del origen de ese conjunto del Fondo Reservado de la Biblioteca Nacional y su relación con el poeta.

En sentido general, la colección de estampas japonesas está conformada por un número de 225 piezas,[72] de las que hoy se

Autor no identificado
"El bardo de los 'haikais', entre los libros amados de su biblioteca" [reproducida en "Memorias íntimas de Tablada", *Revista de Revistas*, 10 de enero de 1937], *ca.* 1937
Fig. 4

publican 45. La gran mayoría es del siglo xix y se distribuye entre los núcleos temáticos más comunes para esos años. Esos núcleos están divididos en estampas de actores del teatro *kabuki*, que comprende al conjunto más abundante dentro de la colección, así como estampas de mujeres bellas (*bijin-ga* 美人画), estampas sobre costumbres de la época (*fūzoku-ga* 風俗画), pájaros y flores (*kachō-ga* 花鳥画), estampas de guerreros (*musha-e* 武者絵), y otras que corresponden más a las etapas finales de la historia del *ukiyo-e*, en el siglo xx, y que muestran muchos de los cambios que estaban aconteciendo en el país.

Por ahora desconocemos aún si algunas de las piezas de Hiroshige que se conservan y se reproducen en el catálogo, formaron parte de las 70 obras que sirvieron de base para la exposición que sobre este artista japonés organizó el Departamento de Bellas Artes de la Secretaría de Educación Pública, y que se inauguró el día 23 de marzo de 1937. Esa exhibición, presentada en la Galería del Palacio de Bellas Artes, fue curada con

José Juan Tablada
"Las 'ocho maravillas' en el Palacio de Bellas Artes", *Revista de Revistas*, 4 de abril de 1937
Fig. 59

piezas de la colección de Tablada, quien ofreció una conferencia el día de su apertura. Si revisamos las notas de prensa que se publicaron con motivo de esta muestra,[73] hay muy pocas referencias a las obras que se exhibieron; tampoco hemos podido encontrar un catálogo o listado de obra en los archivos revisados. Las únicas imágenes con que contamos son las que ilustran un pequeño comentario que el mismo Tablada escribe para *Revista de Revistas,* donde aparecen seis de las piezas que fueron expuestas. Sin embargo, éstas no forman parte de la colección de la Biblioteca Nacional.

Esta muestra de 1937 sobre Hiroshige, de hecho, funciona como el cierre de un ciclo en la vida de Tablada; un ciclo que comenzó en concreto con la escritura de su libro sobre el ilustrador japonés y que se inserta en lo que considero fue la principal labor del poeta y crítico con relación al país asiático: su labor como difusor del arte y la cultura de Japón en México. En reconocimiento a su trabajo periodístico y de apoyo a la delegación oficial japonesa encabezada por el conde Uchida Kōsai 内田康哉 (también conocido como Uchida Yasuya, 1865-1936), quien vino con motivo de las celebraciones por el Centenario de la Independencia de México en 1910, es que el gobierno japonés le otorgó al poeta, en 1914, la Orden del Sagrado Tesoro, cuarta clase, de la cual reproducimos, por primera vez, copia del documento conservado en los archivos del Ministerio de Relaciones Exteriores de Japón.[74]

Considero que el entusiasmo de Tablada por la cultura y el arte de Japón, su empeño para reunir bibliografía especializada sobre el tema, objetos artísticos y de otra índole relacionados con su búsqueda, aunados a su conocimiento enciclopédico, es el trasfondo que debemos valorar para entender su importante labor como promotor y popularizador del arte de ese país en México. No sólo trabajó por hacer llegar a un público más amplio sus conocimientos sobre Japón a través de sus artículos en la prensa, sino que se esforzó por explicar lo que el arte japonés, y la experiencia japonesa concreta en la construcción de un Estado moderno, podía significar para un México también enfrascado en definir sus propios caminos.

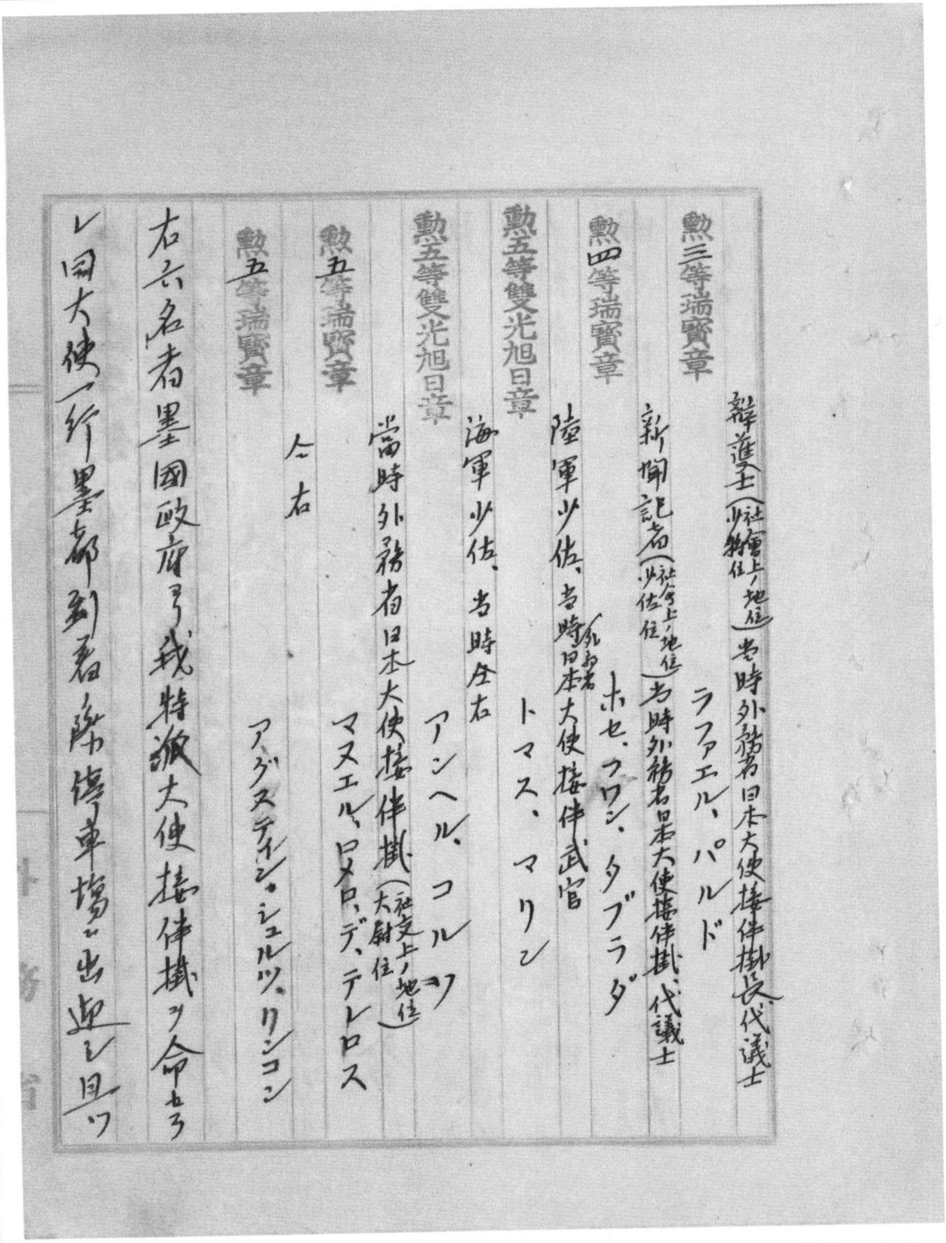

勲三等瑞寶章
辭進王（社會上ノ地位）　そ時外務省日本大使館附属長代議士

勲四等瑞寶章
新聞記者（社會上ノ地位）　そ時外務省日本大使館附代議士
ラファエル、パルド

勲五等雙光旭日章
陸軍少佐、そ時日本大使館附武官
ホセ、フワン、タブラダ

勲五等雙光旭日章
海軍少佐、そ時在右
トマス、マリン

勲五等瑞寶章
當時外務者日本大使館附掛（社會上ノ地位）（大尉住）
アンヘル、コルソ

勲五等瑞寶章
仝右
マヌエル、ロメロ、デ、テレロス

勲五等瑞寶章
仝右
アグスティン、シュルツ、リンコン

右六名者墨國政府ヨリ我特派大使館附掛ヲ命ぜる
ヒ同大使一行墨都到着ノ際博覽車場ニ出迎シ且ツ

Orden del Sagrado Tesoro, cuarta clase:
José Juan Tablada, periodista, 5 de marzo
de 1914
Fig. 42

Notas

* Agradezco enormemente a Miguel Fernández Félix y todo su equipo de trabajo por el entusiasmo y apoyo para llevar adelante esta exhibición. Agradezco también la ayuda constante y sostenida que me han brindado Rodolfo Mata y Esther Hernández Palacios a lo largo de estos años; es gracias a su trabajo y entusiasmo con la obra de Tablada que la exposición y el libro se pueden concretar hoy. A Inagaki-sensei y Nina Hasegawa por los largos días de catalogación de la colección de estampas, así como las charlas y comidas en Tokio. No puedo dejar de mencionar a mis estudiantes y becarios quienes también contribuyeron de diversas maneras y en diferentes momentos con este proyecto: Pola Salmun, Krisha Illescas, Azucena Capistrán, Brenda Arévalo y Yaxkin Melchy.

1 Los detalles de ese primer trabajo están narrados por Rodolfo Mata en la página web de su proyecto de Tablada en la UNAM: http://www.tablada.unam.mx/ukicol/historiuki.html

2 *Ukiyo-e*: producción xilográfica y pictórica con temática mayoritariamente urbana, característica del periodo Edo (1603-1867). También se le conoce como "estampa japonesa", circunscribiéndola sobre todo a la gráfica.

3 Además de la exhibición, se trabaja en el catálogo razonado de toda la colección de estampas y libros japoneses de Tablada en la Biblioteca Nacional de México, una edición crítica del *Hiroshigué...*, y un libro de investigación.

4 Es bien conocida su adhesión a Victoriano Huerta (1850-1916), que motivó su huida del país, en 1914, a la llegada de las tropas revolucionarias a la Ciudad de México.

5 La mayoría de las investigaciones que se han realizado sobre el japonismo de Tablada han estado concentradas, sobre todo, en su producción literaria. Por otro lado, su trabajo como crítico de arte también ha sido estudiado dándole un peso clave al arte mexicano. Las razones lógicas de esto se deben al hecho de que sus autores no son especialistas en arte japonés (aunque dos sean japonesas), por lo que quedan aún muchas interrogantes e inexactitudes. Destaco en especial tres textos, donde se tocan algunos aspectos de la relación de Tablada con las artes visuales de Japón: Atsuko Tanabe, *El japonismo de José Juan Tablada*, México, UNAM, 1981; Seiko Ota, *José Juan Tablada: su haikú y su japonismo*, México, FCE, 2014; Luis Rius Caso, *Las palabras del cómplice. José Juan Tablada en la construcción del arte moderno en México (1891-1927)*, México, INBA, 2013.

6 Nina Cabrera de Tablada, *José Juan Tablada en la intimidad*, México, Imprenta Universitaria, 1954, pp. 40-41.

7 En este caso, es un *wahon* ilustrado, mejor conocido a lo largo de los siglos XVII, XVIII y XIX como *ehon* 絵本, y que se traduce precisamente como "libro ilustrado".

8 Se desconoce la suerte y el dueño del ejemplar específico que se menciona en el pasaje. Sin embargo, en el Fondo Reservado de la Biblioteca Nacional de México, UNAM, se conservan los 15 volúmenes que Tablada compró y coleccionó para su biblioteca. Se pueden apreciar dos de estos volúmenes en la sección de obra de este catálogo (pp. 174-177).

9 José Juan Tablada, "La mujer japonesa", *El Mundo Ilustrado*, año XII, t. I, núm. 16 (16 abril 1905), p. 14.

10 Creemos que Tablada nunca salió de Tokio, Yokohama y sus alrededores. Para mayor información sobre su estancia en Japón, véase en este catálogo el ensayo de Rodolfo Mata.

11 José Juan Tablada, "Notas japonesas", *El Mundo Ilustrado*, año XII, t. I, núm. 19 (7 mayo 1905), p. 15.

12 Los menciona al menos en José Juan Tablada, *La feria de la vida*, México, CONACULTA, 1991 (Lecturas Mexicanas, Tercera Serie, 22), y *Los días y las noches de París*, México, Librería de la Vda. De Ch. Bouret, 1918, pp. 77-83.

13 En 1891, precisamente con veinte años, publica en *El Universal* una traducc[...] un texto sobre arte japonés escrito por Edmond de Goncourt. Véase, "F[...] nés", en *El Universal*, t. VI, núm. 154 (5-07-1891), p. 1.

14 Y no sólo en sus textos en prosa. Son de sus años veintes tambi[...] poemas con gran carga erótica; por ejemplo, *Nupcial* (1891), *K[...] negra* (1893), entre otros. Véase José Juan Tablada, *De Coyo[...] nida. Una antología general* (selección, edición y estudio [...] Mata), FCE/Fundación para las Letras Mexicanas/UNAM, 200[...] Viajes al Siglo XIX). Atsuko Tanabe dedica un buen es[...]

95

…ción de
…l arte japo-

en algunos de los
…wan-on (1893), *Misa*
…acán a la Quinta Ave-
preliminar de Rodolfo
…07 (Biblioteca Americana.
…pacio de su libro a analizar la

impronta del exotismo y orientalismo literario francés en la obra de Tablada. Véase Atsuko Tanabe, *op. cit.*

15 Se refiere a *musume* 娘, hija, aunque utilizado aquí como sinónimo de joven, moza.

16 José Juan Tablada, "La elección del vestido. Estampa de Toyokuni", *Revista Moderna*, año II, núm. 1 (enero 1899), pp. 15-16.

17 Para evitar confusiones, cuando hablo de estampas, me estoy refiriendo a las xilografías policromas que hoy conocemos comúnmente como *ukiyo-e*. Para un estudio general en español sobre la estampa japonesa (*ukiyo-e*), véase Amaury A. García Rodríguez, *Cultura popular y grabado en Japón, siglos XVII a XIX*, México, El Colegio de México, 2005.

18 Se refiere a Yoshiwara 吉原, el famoso barrio de prostitución de la ciudad de Edo 江戸 (hoy Tokio).

19 Utagawa Kunisada I 歌川国貞 (también conocido como Toyokuni III 三代豊国), 1786-1865.

20 Véase Terakado Seiken 寺門静軒, "Edo hanjōki 江戸繁昌記 (1832-36)", en *Shin Nihon koten bungaku taikei* 新日本古典文学大系, vol. C., Tokio, Iwanami Shoten, 1989, pp. 1-332; y Hanasaki Kazuo 花咲一男, *Edo baishoku hyaku sugata* 江戸売色百姿, Tokio, Miki Shobō, 1980, entre otros.

21 Véase Walter Kendrick, *The Secret Museum: Pornography in Modern Culture*, Berkeley, University of California Press, 1997; *The Invention of Pornography, 1500-1800: Obscenity and the Origins of Modernity* (ed. de Lynn Hun), Nueva York, Zone Books, 1996.

22 Investigaciones recientes demuestran que el mercado europeo, así como el coleccionismo, para el caso de estampas eróticas japonesas, fue mucho más grande de lo que se había pensado. De la misma forma, la influencia de estas imágenes, y su uso, en la obra plástica de muchos artistas de fines del XIX y principios del XX también fue considerable. Véase Ricard Bru, *Erotic Japonisme: The Influence of Japanese Sexual Imagery on Western Art*, Leiden, Brill, 2013.

23 Atsuko Tanabe, *op. cit.*, p. 38. No sabemos exactamente a qué se refiere Pacheco sobre los pintores del *ukiyo-e* que pagaban con *shunga*; las estampas y libros eróticos eran parte de la producción común y comercial de los pintores y casas editoriales de entonces. Tampoco nos queda claro si esos textos y dibujos que los "jóvenes bohemios" entregaban a Jesús Luján eran japoneses o no.

24 Véase, por ejemplo, José Juan Tablada, "El monstruo", *Revista Moderna*, año II, núm. 4 (1ª quincena, abril 1899), pp. 100-102; y "Utamaro. El Watteau amarillo", en *Los días y las noches de París, op. cit.*, donde menciona lo que dicen de los *shunga* de Utamaro y Hokusai los textos de Edmond de Goncourt, Joris-Karl Huysmans y Roger Marx.

25 Seiko Ota, *op. cit.*, p. 33.

26 Como su obsesión coleccionista, por ejemplo. Él mismo comenta que ésta comenzó mientras estuvo en el Colegio Militar y formó su primera colección de insectos. Su pasión por la entomología lo acompañaría siempre. Varios de los dibujos que se conservan de los años treinta del siglo XX son de insectos, al igual que algunas de las estampas japonesas que guardaba en su colección (pp. 152-153), u otras que comentó en sus textos, como el caso del *Libro ilustrado de insectos selectos* (*Ehon mushi erami* 画本虫選, 1788) de Kitagawa Utamaro.

27 José Juan Tablada, *La feria de la vida, op. cit.*, p. 59.

28 Para mayor detalle sobre su archivo gráfico, véase Rodolfo Mata, *José Juan Tablada: Letra e imagen (poesía, prosa, obra gráfica y varia documental)*, CD-ROM, México, UNAM, 2003.

29 A pesar de que contamos con muy poca información sobre él, Pedro de Carrère y Lembeye (¿?-1913), fue encargado de negocios de España en Japón aproximadamente de 1887 a 1889. Allí debe haber adquirido una buena parte de su colección de arte japonés y su biblioteca japonesa. En 1891 lo encontramos en México también como encargado de negocios de la Embajada de España. Ahí se casó con la nieta de Valentín Gómez Farías (1781-1858), y vivió en Coyoacán hasta su muerte en octubre de 1913. En junio de ese mismo año, Tablada compra la biblioteca de libros antiguos y álbumes japoneses de Lembeye, parte de la que se conserva hoy en el Fondo Reservado de la Biblioteca Nacional. Se desconoce el destino de su colección de arte japonés. Agradezco a Ricard Bru por la información de Carrère y Lembeye en Japón, y a Rodolfo Mata por los datos sobre su estancia en México.

30 Además de los libros japoneses, Tablada menciona que en la casa de Carrère había un mueble lleno de *netsukes*, porcelanas y acuarelas japonesas.

31 José Juan Tablada, *La feria de la vida, op. cit.*, p. 210.

32 Kanō-ha: escuela de pintura asociada con la corte shogunal, de gran influencia china, fundada hacia finales del siglo xv y que perduró hasta mediados del xix.

33 Tosa-ha: escuela de pintura fundada en el siglo xv y asociada con los circuitos de patrocinio de la corte imperial.

34 Un caso que parece haber tenido una especial importancia es el de la circulación y comercio de libros, actividades que, a decir de su comportamiento, aparentan haber sido muy extendidas; no obstante, confieso que no tengo herramientas para cuestionar lo más probable, es decir, que el circuito de comercio de arte y objetos asiáticos haya sido limitado.

35 En concreto, estos dos pequeños dibujos están ubicados en las páginas 171 y 174 del libro, y en el Archivo Gráfico de Tablada corresponden al número 17.

36 Rodolfo Mata ya había realizado avances con la identificación de algunos de los dibujos del Archivo Gráfico. Véase Rodolfo Mata, *José Juan Tablada: letra e imagen..., op. cit.*

37 En su artículo Tablada se refiere a un tal M. Reed. Con ese nombre no hemos podido localizar a ningún autor que en esas épocas escribiera sobre Japón; sin embargo, sí existió Edward J. Reed, quien publicó el libro *Japan: Its History, Traditions, and Religions*, y quien pudiera ser un candidato. Véase Edward J. Reed, *Japan: Its History, Traditions, and Religions*, 2 vols., Londres, John Murray, 1880.

38 Louis Gonse, *L'art japonais*, 2 vols. París, A. Quantin, 1883.

39 Posiblemente Ishikawa Toshitaru 石川年足 (688-762), funcionario militar del gobierno.

40 Este título en 20 volúmenes integra una serie de historias ilustradas de personajes históricos del Japón antiguo.

41 Kikuchi Yōsai 菊池容斎 (1781-1878), pintor que se hizo conocido sobre todo por sus retratos de personajes famosos.

42 Rodolfo Mata, *José Juan Tablada: letra e imagen..., op. cit.*

43 José Juan Tablada, *Obras IV. Diario (1900-1944)* (ed. de Guillermo Sheridan), México, UNAM, 1992 (Nueva Biblioteca Mexicana, 117), p. 116.

44 José Juan Tablada, "Sitios. Episodios. Impresiones", *Revista Moderna*, año III, núm. 17 (1ª quincena, septiembre 1900), pp. 257-261.

45 José Juan Tablada, "La mujer de Tjuang-Tsé", *Revista Moderna*, año IV, núm. 24 (2ª quincena, diciembre 1901), p. 378.

46 El texto de Rodolfo Mata que se incluye en este libro nos ofrece un reporte bastante detallado sobre el viaje, así como acerca de la polémica en torno a su veracidad. Para la prueba definitiva sobre su realización, véase el artículo de Martín Camps, donde se demuestra la entrada a San Francisco de Tablada desde Yokohama. Martín Camps, "Pasajero 21: evidencia del viaje de Tablada a Japón en 1900", *Revista de Crítica Literaria Latinoamericana* (Lima-Boston), año XL, núm. 80 (2º semestre, 2014), pp. 377-394.

47 Como la librería Maruya 丸屋, origen de la actual Maruzen 丸善, que se encontraba en Benten-dōri 弁天通り, y donde apunta que compró el volumen 14 del *Hokusai manga*.

48 José Juan Tablada, "Los templos de la Shiba", *Revista Moderna*, año III, núm. 20 (2ª quincena, octubre 1900), pp. 312-315.

49 José Juan Tablada, "Cha-No-Yu", *Revista Moderna*, año III, núm. 24 (2ª quincena, diciembre 1900), pp. 370-373.

50 José Juan Tablada, "Un teatro popular", *Revista Moderna*, año IV, núm. 3 (1ª quincena, febrero 1901), pp. 45, 47-48.

51 José Juan Tablada, "Sitios. Episodios. Impresiones", *op. cit.*, p. 258.

52 Atsuko Tanabe, *op. cit.*, p. 32.

53 A pesar de sus fanfarronerías sobre su supuesto "manejo" de la lengua, sus mentiras sobre haber traducido del japonés, cuando en realidad lo hizo del inglés, y la ocasional inserción de palabras y frases en japonés (muchas veces mal escritas) en sus textos, apuntan a que el conocimiento que Tablada poseía de esta lengua era muy elemental y limitado.

54 José Juan Tablada, "Cha-No-Yu", *op. cit.*, p. 373.

55 Basil H. Chamberlain, *The Classical Poetry of the Japanese*, Londres, Trübner & Co, 1880.

56 Véase José Juan Tablada, "Álbum del Extremo Oriente. Los pintores japoneses", *Revista Moderna*, año III, núm. 9 (1ª quincena, mayo 1900), pp. 139-141.

57 José Juan Tablada, "Divagaciones", *Revista Moderna*, año III, núm. 6 (2ª quincena, marzo 1900), p. 83.

58 Algunos de los libros en inglés sobre arte japonés que menciona, y que tenía en su biblioteca, son: William Anderson, *The Pictorial Arts of Japan*, Londres, Sampson Low, Marston, Searle & Rivington, 1886; William Anderson, *Japanese Wood Engravings*, Nueva York, Seeley and Co. Ltd, 1895; Captain F. Brinkley, *Japan, its History, Arts and Literature*, Londres, T.C. & E.C. Jack, 1903; Ralph A. Cram, *Impressions of Japanese Architecture and the Allied Arts*, Nueva York, The Baker & Taylor Company, 1905; W. von Seidlitz, *A History of Japanese Colour-Prints*, Londres, William Heinemann, 1910; Sei-ichi Taki, *Three Essays on Oriental Painting*, Londres, Bernard Quaritch, 1910; Yone Noguchi, *The Spirit of Japanese Art*, Londres, John Murray, 1915; Basil Stewart, *Japanese Colour-Prints*, Londres, Kegan Paul, Trench, Trubner & Co, Ltd, 1920; entre otros.

59 José Juan Tablada, *Obras IV. Diario (1900-1944)*, op. cit., p. 215.

60 Los libros en francés que tendrían un impacto importante en los textos de Tablada sobre arte japonés son, sobre todo: la revista *Le Japon Artistique*, editada por Samuel Bing entre los años 1888 y 1891; además, Louis Gonse, *L'art japonais*, op. cit.; Edmond de Goncourt, *Outamaro*, París, Bibliothèque-Charpentier, 1891; Edmond de Goncourt, *Hokousaï*, París, Bibliothèque-Charpentier, 1896; Tei-san, *Notes sur l'Art Japonais*, París, Société du Mercure de France, 1905; Louis Aubert, *Les Maîtres de l'Estampe Japonaise*, París, Librairie Armand Colin, 1914; entre otros.

61 William Leonard Schwartz, "The Priority of the Goncourts' Discovery of Japanese Arts", *PMLA* (Nueva York) vol. 42, núm. 3 (septiembre 1927), Modern Language Association, pp. 798-806.

62 Tanto Fenollosa como Anderson vivieron en Japón. Resulta particularmente interesante cómo Tablada jamás hizo mención de Fenollosa, ni de alguno de sus libros (hasta donde he podido revisar), tomando en cuenta el carácter de bibliófilo obsesivo que tenía el poeta, y de que los libros de Fenollosa fueron de los más conocidos en esa época.

63 Por ejemplo, Ernest F. Fenollosa, *Review of the Chapter on painting in Gonse's "L'art Japonais"*, Boston, James R. Osgood & Co, 1885.

64 Para el caso concreto de Hayashi Tadamasa, considérese que fue el informante principal de los De Goncourt y de Gonse en el proceso de escritura de sus libros. Al respecto véase Shigemi Inaga, "The Making of Hokusai's Reputation in the Context of Japonism", *Japan Review* (Kioto), núm. 15 (2003), International Research Center for Japanese Studies, pp. 77-100, y Gabriel P. Weisberg, Muriel Rakusin y Stanley Rakusin, "On Understanding Artistic Japan", *The Journal of Decorative and Propaganda Arts* (Miami), vol. 1 (1986), Florida International University, pp. 6-19.

65 Además de los dos escritos líricos sobre estampas de Kunisada que comentamos al principio, los textos que Tablada escribe específicamente sobre arte japonés son: "Álbum del Extremo Oriente", *Revista Moderna*, año III, núm. 8 (2ª quincena, abril 1900), p. 114; "Álbum del Extremo Oriente. Los pintores japoneses", op. cit.; "Utamaro. El Watteau amarillo", op. cit.; "Espectros heroicos", en *Los días y las noches de París*, op. cit., pp. 91-97; "Las tarjetas de Año Nuevo en el Japón", en *El Universal Ilustrado*, año VI, núm. 294 (28-12-1922), pp. 39, 55; "Exposición japonesa. Estampas a colores", México de día y de noche, en *Excélsior*, año XXI, tomo II (7281) (24-03-1937), 1ª secc., p. 5; "Las *ocho maravillas* en el Palacio de Bellas Artes", *Revista de Revistas*, año XXVII, núm. 1402 (4 abril 1937), pp. 21-22. Además, su libro *Hiroshigué: el pintor de la nieve y de la lluvia, de la noche y de la luna*, México, s.p.i., 1914 (Monografías japonesas). Por supuesto, a lo largo de sus múltiples escritos hace comentarios ocasionales sobre arte de Japón.

66 Su diario abunda en entradas sobre los libros que compraba o leía, así como en la faena interminable de hacer catálogos y listas. Ejemplo de esos catálogos es el que se reproduce en este ensayo y que es parte de la colección personal de Esther Hernández Palacios, quien guarda otros interesantes catálogos de Tablada sobre arte mexicano.

67 Por ejemplo, el pequeño libro de Mary McNeil Fenollosa, *Hiroshige. The Artist of Mist, Snow and Rain*, San Francisco, Vickery, Atkins & Torrey, 1901, cuyo título de alguna manera nos recuerda el título del libro de Tablada, y que tiene algunos pasajes en los que es evidente que Tablada se inspiró.

68 Incluso asume que el autor de uno de los libros que cita, Tei-san, *op. cit.*, es un especialista japonés, cuando en realidad Tei-san fue el sobrenombre del marqués Georges de Tressan (1877-1914).

69 Hoy día la mayoría de los libros de su biblioteca que se conservan se resguardan en la colección especial José Juan Tablada de la Biblioteca de México, otros se encuentran dispersos en el Fondo General de la Biblioteca Nacional, algunos más en el Fondo Reservado de la Biblioteca Nacional, y hay supuestamente otro núcleo en la Biblioteca Pública de Cuernavaca que aún no hemos podido revisar.

70 Algunos de estos libros también llevan el exlibris de Tablada o su firma. Además, el poeta dice en su diario que muchos de ellos estaban anotados con traducciones y comentarios de su anterior propietario, y estas características son compartidas por varios de los títulos que se resguardan en la biblioteca. Véase José Juan Tablada, *Obras IV. Diario (1900-1944)*, *op. cit.*, p. 116.

71 La mención viene en una nota muy breve que dice que, con motivo de la visita a México del artista japonés Kitagawa Tamiji 北川民次 (1894-1989), se sugiere organizar una exposición en la Biblioteca Nacional de los "objetos de arte" que se compraron a Tablada. Agradezco a Silvia Salgado por la información.

72 Se puede consultar el catálogo completo de la colección en la siguiente dirección electrónica: http://www.tablada.unam.mx/ukicol.html

73 Emilio Uribe Romo, "Estampería de Hiroshige", *El Crisol. Revista de crítica*, 3ª época, núm. 83 (1 mayo 1937), pp. 22-23; Francisco Díaz de León, "A propósito del teatro japonés", *Suplementos de El Nacional*, 2ª época, núm. 309 (4-04-1937), p. 3; José Juan Tablada, "Exposición japonesa. Estampas a colores", *op. cit.*; "Bella exposición inaugurada ayer en Bellas Artes", en *Excélsior*, año XXI, t. II, núm. 7281 (24-03-1937), p. 3, entre otras.

74 Agradecemos al ministro Shimizu Toru su invaluable ayuda para facilitarnos una copia del documento.

HIROSHIGUÉ.
UNA PALANCA DEL FUTURO
DEL ARTE MEXICANO

Luis Rius Caso

Debo, sin embargo, en pro de la justicia, mencionar los nombres de tres artistas nuestros: José Ma. Velasco que, a pesar de la frialdad de su manera acentuada por la observancia del nefasto canon académico, hizo una obra respetable; Alfredo Ramos Martínez, cuyas primeras obras, sobre todo, fueron inspiradas por bellezas nuestras; y el artista tapatío Jorge Enciso, cuya obra pictórica toda es un himno ferviente y emocionado a los prestigios de nuestra naturaleza y del alma ancestral. En honor del singular artista tapatío, debo decir que siendo quizá el más mexicano de nuestros pintores, es también el que más se acerca a la honda y perfecta manera de sentir de un japonés.

En sus originales obras decorativas (los frisos de las escuelas públicas de la Colonia de la Bolsa, particularmente) evidencia esas dos raras cualidades que me complazco en señalar.

Aunque en otro terreno, un joven e interesantísimo pintor, José Clemente Orozco, promete también hacer una obra mexicana cuyos comienzos son estimables ya.

José Juan Tablada

Hiroshigué: el pintor de la nieve y de la lluvia, de la noche y de la luna

En un artículo dedicado a la Exposición Japonesa que se presentó en el Palacio de Bellas Artes de la Ciudad de México, en marzo de 1937, José Juan Tablada comentó, a propósito de las estampas policromas:

> Fue en el último tercio del pasado siglo cuando las primeras estampas japonesas llevadas a Europa por mercaderes inconscientes, fueron descubiertas con encantado asombro por contados artistas o deleitantes, y atesoradas y reveladas por la visión infalible de los hermanos De Goncourt.
>
> Y desde entonces, esos documentos plásticos e intrínsecamente democráticos unieron para siempre el corazón popular japonés con las democracias de Occidente, y fueron las puertas luminosas por donde el mundo entero penetró al Japón, antes tenido por misterioso y aun hermético.[1]

La cita sirve para precisar el origen y las mediaciones que marcaron el gusto de los artistas e intelectuales modernos por estas preciosas producciones plásticas y en particular el del poeta mexicano, cuya filiación al credo internacional del modernismo —vía Baudelaire y los hermanos Goncourt, entre los imprescindibles— le abrió la posibilidad de pensar lo local a partir de lo establecido como universal en la cultura europea, sobre todo la francesa.

Esta filiación lo dotaba además de licencia suficiente para insertarse en la genealogía como legítimo continuador de la obra de sus principales exponentes, según advertimos en el Preámbulo de su libro dedicado a Hiroshige:

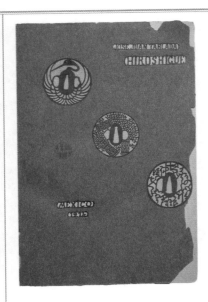

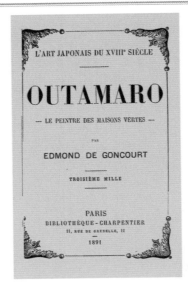

Edmundo de Goncourt, después de *Outamaro*, sólo alcanzó a escribir *Hokusai*; pero Hiroshigué estaba en la lista de los cinco pintores.

Ahora yo, en este remoto rincón del planeta que tal vez ni sospechó el maestro dilecto, recojo su designio trunco y trato de realizarlo en parte, como un hijo amantísimo cumpliría la póstuma voluntad de un padre venerado.

Con intransigente orgullo escribo sólo para los letrados, los artistas y los espíritus cultos y capaces de exaltarse hasta un arte superior.[2]

José Juan Tablada
Hiroshigué. El pintor de la nieve y de la lluvia, de la noche y de la luna, 1914
Cat. 84

Edmond de Goncourt (1822-1896)
Outamaro, 1891
Fig. 46

Se trata de un orgullo que alcanzó muy finas descripciones literarias en su libro, en párrafos referidos a la lejanía con Japón y Europa y, en paralelo, a las fugas de la cruenta realidad que intentaba el poeta en el ámbito de su casa japonesa de Coyoacán, gracias a la contemplación y cuidado de su jardín, con su amado sauz, así como a la observación gozosa de su colección japonesa y a sus empeños escriturales, mientras observaba por la ventana las fogatas zapatistas que iban encendiendo el Ajusco.

Otras prerrogativas ligadas a esta filiación tienen que ver con el interés de incorporar el conocimiento adquirido a una poética personal, orientada a incidir en el acontecer cultural del presente y del futuro en su propio contexto. Una poética que comprende su proceso creativo personal y una postura sobre

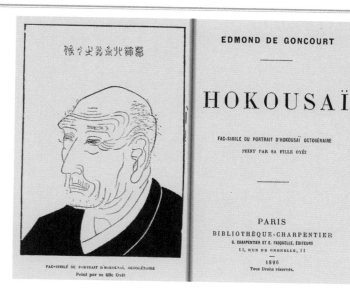

Edmond de Goncourt
Hokousaï, 1896
Fig. 45

el devenir de las prácticas literaria y artística de avanzada, en general, más que un deseo de acumulación erudita. Una poética, pues, de un creador. Por ello, si bien sus conocimientos sobre el tema del *ukiyo-e* pueden resultar admirables en cuanto a su vastedad y profundidad —como lo hizo notar Atsuko Tanabe—, no serán los de un académico o erudito acotado al mismo. En ello estará más cercano a otros escritores, modelos suyos, como Baudelaire y los propios hermanos Goncourt, y a artistas que abrevaban de temas modernos como el animalismo, el monstruosismo, la caricatura, los exotismos diversos, el japonismo, para alimentar con ellos una visión del mundo y una propuesta creativa original; pensemos por ejemplo en Jean-Léon Gérôme, Henri Regnault, John Frederick Lewis, Édouard Manet, Edgar Degas, Claude Monet, Vincent van Gogh, Paul Gauguin, Henri de Toulouse-Lautrec, Gustav Klimt, Egon Schiele, Aubrey Beardsley, Pablo Picasso, Henri Matisse, por sólo mencionar a algunos artistas del pincel, representativos de las tendencias finiseculares y de vanguardia de las primeras décadas del siglo xx.

Y esta toma de postura, esta apuesta por el devenir de las artes y las letras que su linaje moderno le permite —o mejor: le obliga a ejercer— se centra, como corresponde, en su entorno local. Se trata, podríamos afirmar, de una visión y de una

misión: las de un crítico de arte que se ha formado en buena medida siguiendo a los autores franceses y que ha pugnado desde sus inicios en tal disciplina por la transformación del arte nacional.

Por ello, no es extraño que su libro *Hiroshigué: el pintor de la nieve y de la lluvia, de la noche y de la luna* encarne esa visión y esa misión, ese paso lógico que supone el viaje efectuado en sus páginas desde el Japón del gran paisajista al presente y al espacio propio, constituyendo así —como bien lo dijo Atsuko Tanabe— una "palanca del futuro del arte mexicano". Aunque sólo se trate de una cita a pie de página, de sorprendentes alcances, acompañada de algunas digresiones importantes.

Con la escritura de *Hiroshigué...*, en 1914 Tablada alcanza un punto de madurez evidente en su japonismo y en el efecto de éste en el bagaje conceptual que como crítico fue construyendo, al menos desde 1896, con miras a un objetivo muy claro: la transformación del arte nacional.[3] Concentrado en tal fin, entre la fecha señalada y 1906 criticó la decadencia de la Academia de San Carlos y de sus directores religiosos y colonialistas; denostó el "objetivismo" de Pelegrín Clavé y sus continuadores; se burló de las exposiciones de arte español, exitosas en lo comercial y lamentables en cuanto a su valor cultural; impulsó la obra de grandes artistas modernos europeos, como Louis Morin, Théophile Alexandre Steinlen, Adolphe Willette, Jean-Léon Gérôme, Aubrey Beardsley; dio a conocer el credo de sir John Ruskin y de los prerrafaelitas; expuso temas como el arte animalista, la caricatura, el japonismo, y enalteció categorías estéticas como lo grotesco, lo cómico y lo monstruoso; dio forma en las páginas de la *Revista Moderna* a alianzas memorables y fundacionales entre las artes visuales y verbales, como la suya y la de otros poetas con Julio Ruelas —como lo habían hecho Oscar Wilde y Aubrey Beardsley—; dio a conocer, resituó o apoyó con decisión a caricaturistas mexicanos como Constantino Escalante, Jesús T. Alamilla y José María Villasana; a pintores y dibujantes como Germán Gedovius, Alberto Fuster, Juan Téllez Toledo, Rafael Ponce de León, Jorge Enciso y, sobre todo, Julio Ruelas.

Acorde con su perfil rupturista, fue protagonista en las dos exposiciones de 1906 que comenzaron la transformación del arte mexicano, al incluir sólo a productores nacionales que en

LA BELLA OTERO

"That woman, was the woman."

Arcángel, loba, princesa, lumia, súcubo, estrella!
Con el espanto de los abismos y la fragancia de los jardines
Pasas devastadora como una plaga; fatal y bella
　　　　Y en carne urente clavan su huella
　　　　Tus escarpines......

Blanco sarcófago de tibio mármol y seno obscuro
Lleno de bálsamos y refulgente de pedrería,
Arrodillados hasta tu plinto glacial y duro,
Van los amantes para que hieles su amor impuro
Para que acojas los estertores de su agonía.

El fiero prócer que entró á tu alcoba, salió mendigo
Pero glorioso y ebrio del vino de tus histerias
Hoy rumia lirios......piensa en tu ombligo......
Y un sol irradia sobre la noche de sus miserias!

José Juan Tablada
"La Bella Otero" [ilustraciones de Julio Ruelas], *Revista Moderna de México,* julio de 1906
Fig. 56

su mayoría formaron parte de la llamada "generación del cambio": la de los Artistas Pensionados en Europa y la de la revista *Savia Moderna,* inaugurada por él y por Gerardo Murillo, quien entonces apadrinó a Joaquín Clausell. A partir de esos acontecimientos y hasta que se vio obligado a abandonar el país por la caída de Victoriano Huerta, en julio de 1914, siguió impulsando nuevos talentos que prometían perfilar otro horizonte en la plástica mexicana, contrario al imitativo académico: Roberto Montenegro, Francisco Goitia, Gerardo Murillo y tres de los cuatro artistas mencionados en *Hiroshigué*... .

Pero antes de abordar dicho libro, es necesario referir temas anteriores a éste, considerables dentro del japonismo de su primera época. El primero tiene que ver con una conexión que se dio entre Tablada y el artista Félix Bernardelli (1862-1908) en Guadalajara, la cual pudo resultar determinante para la futura relación del poeta con varios discípulos de éste, señeros en la modernidad artística que planteó como crítico e historiador: Roberto Montenegro, Rafael Ponce de León, Gerardo Murillo

y Jorge Enciso. El grado de importancia de esta conexión es un asunto del mayor interés para un estudio futuro. Tablada conoció al artista brasileño-jalisciense Félix Bernardelli hacia 1895 y quedó muy gratamente sorprendido por las enseñanzas de este maestro, artista visual y sobre todo gran violinista, en su taller.[4] Además de la carta inédita que resguarda la familia Bernardelli, lo mencionó con aprecio en *La feria de la vida* y en algún otro libro, pero sobre todo se refirió en innumerables ocasiones a varios de los mencionados discípulos que le rindieron tributo al maestro toda la vida: Gerardo Murillo, Jorge Enciso, Roberto Montenegro, Rafael Ponce de León.

De hecho, cabe insistir, ellos serán, al lado de Ruelas y el artista regiomontano avecindado en Coyoacán, Alfredo Ramos Martínez, las apuestas fuertes del crítico joven (correspondiente al porfirismo) para una transformación del arte nacional. Un ejemplo: en contra de la Academia de San Carlos y de la cerrazón de la Ciudad de México, escribiría en 1906:

Okusai [José Juan Tablada]
"Arte y artistas. Dos exposiciones: pintura y escultura. Los pensionados mexicanos en Europa. Acontecimientos musicales del año", *El Mundo Ilustrado*, 1 de enero de 1907
Fig. 51

Ricardo Gómez Robelo (1884-1924)
"La exposición de *Savia Moderna*. Notas", *Savia Moderna*, mayo de 1906
Fig. 44

José María Lupercio (1870–1927)
Félix Bernardelli con sus alumnos.
En sentido de las manecillas del reloj:
José María Lupercio, Rafael Ponce de
León, alumno no identificado, Jorge
Enciso y Gerardo Murillo, *ca.* 1898
Fig. 23

Nota artística excepcional y simpática ha sido la exposición de estudios de Jorge Enciso y Rafael Ponce de León, en la capital de Jalisco. Los jóvenes pintores hicieron un llamado a la cultura de su ciudad natal y no salieron defraudados, pues no sólo acudió el público en masa a la exhibición de arte, sino que muchas de las obras que en ella figuraban, fueron adquiridas a buenos precios. Cuando México, la metrópoli, quiera ufanarse de su cultura, no podrá decir otro tanto.[5]

Pero más aún, lo que los discípulos de Bernardelli ofrecían al poeta-crítico, quizá desde finales del siglo xix, era la existencia de una producción no académica capaz de perfilar un verdadero horizonte moderno en el país. En la obra de ellos advirtió las novedades incorporadas por el maestro en el uso de la acuarela, la posición natural de los modelos y la presencia de algunos no necesariamente bellos, como ancianos de inspiración modernista, y sobre todo la pintura al aire libre y de linaje impresionista. Advirtió también algo japonés en ellos, especialmente en Jorge Enciso, no al nivel que le hubiera gustado quizá, no al de los grandes artistas europeos que desde mediados del xix tenían a su disposición la mejor y más vasta estampería *ukiyo-e*, sobre todo en París, pero sí a niveles muy prometedores para plasmar, con una óptica moderna, relativa, la belleza del entorno propio.

A fin de cuentas, este objetivo era al que buscaba acceder vía la visión moderna encabezada por la herencia del *ukiyo-e*.

Cabe preguntarse si el contacto con Bernardelli en el primer momento, 1895, aportó al japonismo de Tablada en lo visual. Es de considerarse que el artista y músico había traído de Roma y de la Ciudad Luz un riquísimo bagaje moderno dentro del cual se conoce pintura de su autoría que acusa este influjo, además de algunos bocetos de decoraciones murales, hechas para comercios, parecidas a las que después haría Montenegro, a la manera de Beardsley. Pienso en un óleo de 1898, titulado *Chapala*, con su monte solitario al fondo y el empleo subjetivo de la luz y el color, y en unos bocetos para decoración de fachada que presentan sensuales mujeres estilizadas, de contornos muy marcados; también en una fotografía que retrata como modelo japonesa a Adela Vázquez Schiaffino.

Félix Bernardelli (1862-1908)
Chapala, ca. 1899
Fig. 8

Autor no identificado
Adela Vázquez Schiaffino posando como
japonesa en el taller de Félix Bernardelli,
ca. 1900
Fig. 1

En favor de esta hipótesis traigo las siguientes palabras de
Luis-Martín Lozano sobre Bernardelli: "Conoció igualmente
los 'japonismos', cuya proclividad por los salones decorados con
abanicos y modelos vestidas 'a lo geisha' puso de moda en su
taller de Guadalajara, y cuyo encanto supo transmitir a los jóvenes Gerardo Murillo y Jorge Enciso, aún antes que José Juan
Tablada".[6]

Completamente de acuerdo en el caso de ellos, y quizá se
podría añadir el de Ponce de León, quien, como Enciso, solía plasmar su firma en un monograma japonés. En el caso de
Montenegro, la gran admiración por la cultura japonesa y por
pintores como Hokusai sí provino directamente de Tablada,
según recordaría en sus memorias.[7] No dudo que también su
gusto por Beardsley y otros modernistas deudores del *ukiyo-e*,
aunque el propio Tablada le reprochara su excesiva fidelidad.

Es muy probable, en fin, que nuestro poeta tuviera alguna
experiencia determinante en ese viaje a Guadalajara de 1895,
donde llegó de regreso de Mazatlán, rumbo a la Ciudad de México, y en otro más que hizo a finales de ese año o principios del
siguiente, en el cual también frecuentó a Bernardelli. El poeta
contaba con un buen bagaje para aprovechar dicha experiencia:
había traducido ya un artículo de Judith Gautier titulado "Una
novela japonesa", además de otro clave, de Edmond y Jules de

Goncourt, dedicado al "arte japonés". También había escrito tres poemas inspirados en ese universo temático: *Kwan-on*, *Florón* y *Sol de Oriente*. Así, el contacto con Bernardelli puede ser un elemento a sumar en la construcción de su gusto por este arte al que dedicaría, en 1900, sus primeros artículos, y por esos artistas jaliscienses, a quienes consagraría en lo sucesivo sus mejores páginas como crítico y memorista.[8]

Los textos de 1900, "Divagaciones", "Álbum del Extremo Oriente. A Hyoshio Furukava" y "Álbum del Extremo Oriente. Los pintores japoneses", recogen los frutos de sus abundantes lecturas, sus citadas traducciones y seguramente algo de lo vivido con Bernardelli, aunque no lo mencione ni a él ni a sus alumnos, a quienes conocerá después. Será ya entrado el siglo xx cuando los apoye de diversas formas a la llegada de ellos a la capital, en la Subsecretaría de Educación Pública, con la venia de Justo Sierra, y también con el mecenas Jesús E. Valenzuela, tal como lo había hecho antes con Julio Ruelas. Tablada fungió en la Ciudad de México como un puerto seguro de tres de los jaliscienses que, según creo —lo planteo como hipótesis—, recomendó Félix Bernardelli. No sólo con Tablada, sino con Antonio Fabrés —entonces maestro también del poeta—, como consta en documentos, y con otros profesionales de las artes, amigos y conocidos. Pero el caso es que en los años finiseculares y sobre todo al despuntar el nuevo siglo, Tablada formaba parte del círculo influyente que definía derroteros en arte y cultura, desde sus espacios en la prensa, su prestigio, sus relaciones con mecenas y personalidades influyentes, su cercanía con Justo Sierra y su puesto en la Subsecretaría de Educación. En *La feria de la vida* recordaría varios años después el gran ambiente que se vivía cotidianamente en esa dependencia gubernamental, con el intercambio de bromas y caricaturas sostenido por Montenegro, Ponce de León y Jorge Enciso, esa brillante "pléyade de tapatíos" que migraron a la metrópoli. Montenegro fue el primero en llegar, apadrinado por su primo, el poeta Amado Nervo. Le siguieron Ponce de León y Enciso, cuyo heraldo fue Montenegro. Del primero y del tercero Tablada había recibido dibujos que de inmediato valoró, por su indiscutible destreza. El germen de aquellos viajes de 1895 fructificaría, entonces, en el tiempo y lugar precisos.[9]

Han ido apareciendo textos de Tablada, escritos entre 1893 y 1900, periodo que se consideraba de nula creatividad periodística, pero ninguno eslabona sus visitas a la Perla Tapatía con lo publicado en 1900. La promesa que hizo por carta a Bernardelli aún no se puede verificar.[10] Sí, en cambio, contamos con un texto de gran interés, dedicado al paisajista Alfredo Ramos Martínez, en 1898, a quien valora como verdadero paisajista que, en contraste con los comatosos académicos, ofrece una propuesta moderna en el arte. Ese artículo es clave para entender por qué incluyó a Ramos Martínez en su nota al pie de página de *Hiroshigué*…, al lado de Enciso, Orozco y Velasco, además de considerar entonces su papel fundacional de las Escuelas de

Alfredo Ramos Martínez (1871-1946)
Patio, s.f.
Fig. 29

Pintura al Aire Libre. Lo más interesante de dicho artículo es que plantea la personalidad del pintor como un elemento variable ante el valor fijo de la naturaleza, lo cual recuerda su concepto de "valor relativo", que empleará años después a propósito del tema, y transmite muy bien lo que en sus memorias recordará sobre este artista regiomontano avecindado en Coyoacán, quien pintó cada rincón de ese barrio con un espíritu apto para plasmar "las raquetas de jade de los nopales" y las bellezas de la naturaleza, puesta a la disposición de su personalidad.[11]

Los tres artículos publicados en 1900 tuvieron la intención de fomentar el influjo del arte japonés entre los artistas mexicanos. Tablada tenía muy claro que sí existía en artistas franceses, como Henri de Toulouse-Lautrec, Camille Pissarro, Édouard Manet y Gustave Caillebotte, entre otros, así como en ingleses, italianos, alemanes y estadounidenses. Su búsqueda en este sentido lo llevaría al ya conocido Ramos Martínez y a quienes tanto hemos mencionado. Escribió: "En México, poca o ninguna idea tenemos de las innumerables y apasionadoras bellezas que ese arte encierra y conceptuamos tarea digna de quien de arte se ocupa el revelar y propagar esas bellezas lamentablemente ignoradas por una gran mayoría. Tal fue nuestra idea al escribir 'Álbum del Extremo Oriente'".[12]

Cabe tener en cuenta la fecha de 1900 para comprobar que aún no conocía a los jóvenes de la legión jalisciense ni a ningún otro artista con influencias marcadas. Valga decir que si Tablada no lo conocía, no existía aún.

Otro asunto de interés en esos artículos es que empieza a definir las aportaciones de esta estampería y los elementos que le gustaría ver reflejados en el arte nacional.

En *Hiroshigué...*, Tablada entra en territorio mexicano aludiendo a los famosos *meisho*, que son guías de lugares populares del Japón, ilustradas por grandes artistas, donde figuran paisajes y episodios típicos, así como representaciones de mitos y leyendas de distintos periodos históricos. En la significativa compañía de Ruskin,[13] exalta su gran belleza y notable función de hacer "amable a la patria cuyos encantos pregonan", al tiempo que lamenta que en México los artistas no hayan querido o sabido encontrar algo similar que revele las singulares bellezas del país, que permanecen ignoradas y recónditas. Casi con desesperación propone que los artistas del futuro realicen álbumes similares a los *meisho*, dedicados al paisaje del país,[14] por localidades (empezar por Michoacán, por ejemplo), y de este modo hacer accesible su arte a los burgueses locales, cuya tacañería habría de inspirarle páginas rencorosas y magistrales a lo largo de su trayectoria. Apenas expuesta la queja en esos términos, similares a los empleados trece años antes, el autor ofrece matices y exculpa en la nota a pie de página a cuatro artistas de talento: José María Velasco, Alfredo Ramos Martínez, Jorge Enciso y José Clemente Orozco. Al primero por haber hecho una obra respetable, no obstante su pertenencia al "nefasto canon académico". Al segundo por haberse inspirado en "bellezas nuestras" al realizar sus primeras obras. Al tercero por haber realizado con el conjunto de su obra pictórica "un himno ferviente y emocionado a los prestigios de nuestra naturaleza y del alma ancestral"; este artista tapatío le parece el más mexicano de los pintores de entonces, y también el

Hasegawa Settan 長谷川雪旦 (1778-1843) [ilustraciones]
Saitō Yukio 斎藤幸雄 (1737-1799)
Saitō Yukitaka 斎藤幸孝 (1772-1818)
Saitō Gesshin 斎藤月岑 (1804-1878) [texto]
Guía ilustrada de lugares famosos de Edo (*Edo meisho zue* 江戸名所図会), vol. 1, s.f.
Cat. 76

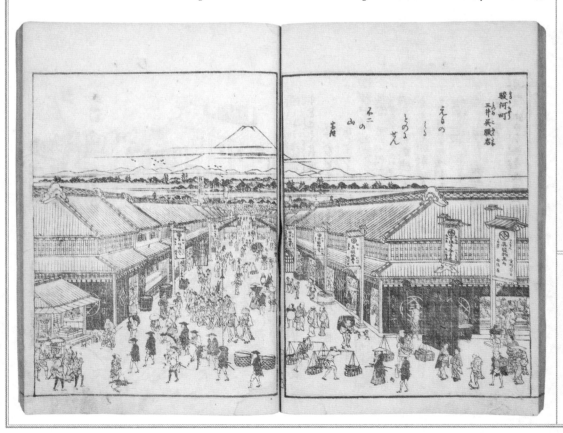

Carlos Obregón Santacilia (1896-1961)
De izquierda a derecha: Jorge Enciso, Ismael Palomino, Adela Formoso de Obregón Santacilia, José Juan Tablada, Julio Torri y Jorge Palomino [reproducida en J. M. González de Mendoza, "Universalidad de la poesía de José Juan Tablada", *Revista de Revistas*, 10 de enero de 1937], 1936
Fig. 26

que más se acerca "a la honda y perfecta manera de sentir de un japonés"; le complace mencionar la existencia de esas dos raras cualidades en obras de Enciso, que desde entonces defendería como las primeras en su tipo: unos frisos decorativos realizados en escuelas públicas de la Colonia de la Bolsa (hoy Tepito). Y al cuarto, al muy joven José Clemente Orozco, al señalarlo como un pintor interesantísimo y prometedor de una obra mexicana que comenzaba a ser ya muy estimable.[15]

Al lado de continuas referencias a su casona de Coyoacán, a sus colecciones atesoradas y a la zozobra vivida entonces, sus menciones de Alfredo Ramos Martínez, Jorge Enciso y José Clemente Orozco incorporan de lleno el contexto en el que vivía el poeta-crítico en esa época, curiosamente la más costosa a su fama póstuma, por su filiación al huertismo, pero también —vaya paradoja— de las más importantes en términos de su prestigio intelectual y como conocedor de artes plásticas. La obra de Ramos Martínez, como ya vimos, y su papel innovador en las Escuelas de Pintura al Aire Libre fueron temas impulsados con el mayor compromiso por nuestro autor en esos aciagos años, con lo cual contribuyó a añadir un eslabón necesario en el paso del modernismo a la vanguardia y que rompe definitivamente con los moldes de la educación académica, a semejanza de la experiencia francesa del Barbizon, pero con el orgullo de experimentarla en el contexto propio (como los artistas japoneses).

Es importante señalar que el mural de Jorge Enciso sintoniza las búsquedas mexicanistas de entonces con las del poeta-crítico de arte, conocedor a su vez del largo sueño mexicano de consolidar una pintura mural capaz de suplir las estrecheces de una educación formal y un mercado de arte siempre insuficientes, ya que, según su opinión, fortalece una visión antigua y a la vez vanguardista, como lo estuvo en el siglo XIX en la óptica de varios escritores y de José Bernardo Couto en su célebre *Diálogo sobre la historia de la pintura en México*, de 1862. No está de más, por lo tanto, recordar que dichas obras de Jorge Enciso representan un antecedente directo del movimiento mural, como bien lo apunta Orlando Suárez:

> Por encargo de Justo Sierra [Jorge Enciso] decora las escuelas Gertrudis de Armendáriz y Vasco de Quiroga en la Colonia de la Bolsa (hoy Morelos), con motivos mexicanos, los primeros de su tipo en el muralismo del siglo XX. Fueron iniciados en diciembre de 1910 y concluidos el 16 de mayo de 1911.[16]

La obra de Orozco, asimismo, fue conocida y comentada por Tablada en un artículo publicado en *El Mundo Ilustrado*, el 9 de noviembre de 1913. Se trata de una de las joyas de la crítica de arte mexicana, en la cual el poeta da a conocer al gran pintor, comenzando con ello una serie de actividades en su apoyo que culminarían, muchos años después, con su incorporación al proyecto muralista y con el impulso que lo conectó con esferas y personalidades importantes de Nueva York, como Alma Reed, que le abrieron una plataforma internacional.

Por el artículo nos enteramos de que un domingo de noviembre de 1913 el pintor había llegado a visitarlo con su habitual timidez. Uno de sus criados japoneses anunció su presencia y Tablada lo recibió con cortesía. El caricaturista le contó que venía huyendo del academicismo y que sólo le preocupaba pintar colegialas y mujeres de la vida, mientras le mostraba sus dibujos de temas sociales. Tablada se desconcertó:

> [...] esa confidencia me pareció paradójica... ¿Cómo podría este artista de caricaturas brutales y truculentas expresar el frágil encanto y la poesía de la mujer [...]? [...] Nada había en efecto, en mi huésped del instante, que lo señalara como un continuador de la suntuosa estirpe de los pintores galantes Watteau, Constantin Guys, Utamaro, el marqués de Byros o Jorge de Feure, siquiera...[17]

Sin embargo, a la mañana siguiente Tablada visitó el taller del artista y quedó cautivado. Admiró el movimiento y la expresión de las adolescentes de "nacientes perfidias". Se regocijó ante el encanto sórdido y bello de las mujeres de la vida, expresando todo "lo que el vicio puede hacer con sus palideces avérnicas, con sus ojeras febriles, con sus debilitamientos extenuadores [...]".[18] Ningún mexicano se había ocupado, hasta entonces, de sensuales colegialas y Circes de arrabales. Frente a esa obra en papel tenía en mente la estampería erótica japonesa, la estirpe de la pintura galante y, desde luego, a Toulouse-Lautrec. Se entiende la comparación que hizo de Orozco con este gran pintor,[19] dibujante y cartelista francés, la cual le valió la eterna enemistad del futuro muralista, quien no estaba para respetar la avidez del poeta por encontrar versiones locales de esa búsqueda comenzada por él, al menos desde 1900. Ya entonces Toulouse-Lautrec le había parecido, entre los franceses, quien

José Juan Tablada
"Un pintor de la mujer: José Clemente Orozco", *El Mundo Ilustrado*, 9 de noviembre de 1913
Fig. 62

José Clemente Orozco (1883-1949)
La ronda, ca. 1913
Fig. 28

más acusaba una influencia nipona. No brindó entonces argumentos específicos, pero es fácil suponer que consideró, entre otras cosas, las poses y la actitud desprejuiciada y provocativa, graciosa y a veces grosera de las representaciones femeninas, propias de un japonismo bien asimilado. En la mente de Tablada traer a cuento a Toulouse-Lautrec era invocar un sustrato japonista, y en esa lógica no resulta extraño, primero, el parentesco que le endilgó en 1913 a Orozco con el pintor francés y, segundo, que lo incluyera, ese mismo año, en su cita de *Hiroshigué*.... El poeta no tenía antecedentes locales de lo que vio en el taller de Orozco y se entiende su fascinación por figuras femeninas tan atrevidas, en el contexto mexicano, como *La chole, La carta, La ronda* o las que ilustraron su artículo.

El veredicto de aquella visita fue muy favorable y se ajustó a lo que Tablada vio y a la vez, quería ver, aparte de Circes y colegialas:

Orozco pintor armoniza en grises, en gomas sordas, en tonalidades neutras con la distinción y sobriedad de un japonés. Su acuarela de una gran distinción de color tiene a veces las tonalidades

de las viejas tapicerías. No es ajeno decir que siendo sus asuntos crepusculares y nocturnos, tal coloración cuadra al ambiente del mundo que el artista estudia.[20]

Además de insistir en su cercanía con Utamaro y los pintores galantes, Tablada resaltará en artículos y menciones posteriores la sensibilidad japonesa de Orozco en los trazos esenciales de su dibujo, en su manejo distinguido y sobrio del color y en sus caricaturizaciones, a la manera de Hokusai.

La consideración de Utamaro como pintor galante es un prejuicio y una reducción occidental, desde luego, como todas las comparaciones que se emplearon para el consumo de la estampería del *ukiyo-e* en Europa y América. Tablada pecó en esto como el que más, pero a diferencia de otros modernos cabe recordar, en su descargo, que su noble intención de sintonizar la cultura mexicana con la del mundo tenía como propósito descubrir y habitar lo propio, lo local. Por eso su mirada ve en ocasiones lo ya descubierto en estampas japonesas o en *meisho*, en libros o en referentes que el común de la gente no conoce. Con Orozco le sucedió a menudo; sobre la serie *La casa de lágrimas* escribió:

> El público recibió esta exposición con burla. Al no tener la admiración de los antiguos griegos y japoneses por las cortesanas, el público se negó a ver en estas mujeres, retratadas y casi descarnadas por la paleta del artista [...] Al no comprender o apreciar estas delicadas creaciones plásticas, en donde se usaron distorsiones de la manera más pura y legítima, sucedió lo que los ignorantes siempre hacen cuando no entienden: los cautelosos sonrieron con ironía ambigua y los más valientes con burla directa.[21]

Parte de su conflicto se debió a que el público calificó las imágenes como caricaturas, de un modo peyorativo, sin caer en cuenta que lo eran, sí, pero como arte mayor.

El japonista encuentra puntos de conexión entre Ramos Martínez, Enciso y Orozco a propósito de sus vínculos con lo local y de sus representaciones no académicas, es decir, modernas. Se acercan a la manera de sentir de un japonés en la medida en que se acercan a sentir y expresar su entorno, nutrido de la estética inmediata, de la poesía del momento, del detalle, de lo que "sólo los poetas ven al cerrar los ojos". Desde su perspectiva llega a conclusiones similares a las de otros protagonistas del cambio que evocarían ese periodo de transformación, cada uno con sus respectivos referentes, héroes y villanos. Diego Rivera, por ejemplo, guardaría magníficos recuerdos de esa etapa de descubrimiento de lo nacional, en donde Antonio Fabrés figuraba como ejemplo del atraso académico; Orozco, por el contrario, le agradecía a éste su aprendizaje, y Tablada recordaba con burlona morbosidad lo rebuscado y absurdo del taller del maestro de pintura catalán, de quien, por cierto, fue discípulo. No lejos del punto de vista del poeta, en cuanto a lo ruptural del momento, José Clemente Orozco recordaría:

Fue entonces cuando los pintores se dieron cuenta cabal del país en donde vivían. Saturnino Herrán pintaba ya criollas que él conocía, en lugar de Manolas a la Zuloaga. El Doctor Atl se fue a vivir al Popocatépetl y yo me lancé a explorar los peores barrios de México. En todas las telas aparecía poco a poco, como una aurora, el paisaje mexicano y las formas y los colores que nos eran familiares. Primer paso, tímido todavía, hacia una liberación de la tiranía extranjera, pero partiendo de una preparación a fondo y de un entrenamiento riguroso.[22]

En su cita de *Hiroshigué...* Tablada no incluyó ni a Joaquín Clausell ni a Francisco Goitia ni a Gerardo Murillo, el Dr. Atl, aunque de los tres había prodigado elogios en textos de 1912. En el caso del último seguramente mediaron razones políticas, pues el pintor y vulcanólogo encabezó desde París una devastadora campaña de prensa contra el usurpador, con el propósito de impedir que el gobierno de Francia le otorgara un préstamo, y después regresó al país para incorporarse al ejército de Venustiano Carranza. Quedó así vetado para los asesinos de Francisco I. Madero, y Tablada lo criticaría de manera impía y sin decir su nombre en un artículo de 1913, dedicado a condenar su polémica labor a cargo del acervo artístico de la Antigua Academia de San Carlos, a finales del porfiriato.

Las cuestiones políticas resultaban determinantes en esa "temporada de zopilotes", según la calificó Paco Ignacio Taibo II, como también lo constató en el sentido inverso Alfredo Ramos

Gerardo Murillo, Dr. Atl (1875-1964)
Sin título (Árbol quemado y volcán
negro), 1928
Fig. 25

Martínez, amigo de Tablada y director durante dos periodos de
la Escuela Nacional de Bellas Artes. Dueño de indudables do-
tes artísticas, conceptuales y docentes, reconocidas por el poeta, este renovador de la enseñanza antiacadémica, fundador en
pleno oscurantismo huertista de la primera Escuela de Pintura
al Aire Libre, supo congeniar con el régimen y hacer contribu-
ciones decisivas sin enlodarse tanto como el poeta. A la caída de
Huerta fue sustituido del cargo, justamente por el Dr. Atl, quien
no se cansó de denigrarlo. También a Tablada, con quien siempre
mantuvo una relación bipolar. Como a Diego Rivera, el poeta le
dedicó algunas caricaturas verbales en haikú, no tan despiadadas
como al muralista, aunque sí muy divertidas. Atl, por su parte,
solía ningunearlo. Tablada también lo hizo en publicaciones se-
ñeras, como en *Hiroshigué...*, por razones ya comentadas, y en su
Historia del arte en México, de 1927. Sin embargo, lo interesante
para nuestro tema es asentar que la reconciliación entre ambos,
ocurrida en 1938, tuvo de parte del poeta el más alto grado de
reconocimiento y legitimación, al equipararlo con el gran pintor
de montañas japonés Tani Bunchō. Quién iba a suponerlo, cuando años atrás el propio Tablada había puesto en franca duda su
originalidad, al considerarlo un simple seguidor del postimpre-
sionista italiano Giovanni Segantini.[23]

Tani Bunchō (1763-1840) era de los artistas preferidos
de Tablada y se refirió a él en su libro *Hiroshigué...* como uno de

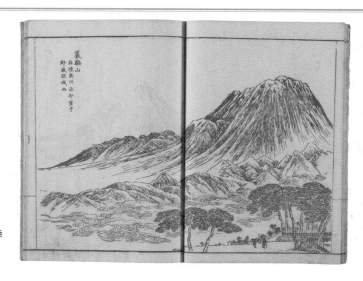

Tani Bunchō 谷文晁 (1763-1840)
Montañas famosas del Japón (*Nihon
meizan zue* 日本名山図会), Edo, 1812
Fig. 35

Tani Bunchō 谷文晁
*Monte Fuji en las Cuatro Estaciones,
Verano (Shiki Fuji-zu no uchi, natsu* 四季
富士図のうち夏), siglo XIX
Fig. 36

los últimos cultivadores del canon chino. Poseía en su colección un libro suyo, editado en 1804, titulado *Montañas famosas del Japón*, que sin duda tuvo en mente al relacionarlo con Atl.

Las mejores páginas dedicadas por el poeta a Atl entienden muy bien, en mi opinión, las claves y los secretos de su creatividad, y expresan el profundo gusto que sintió siempre por su pintura. Observó en sus paisajes el "valor relativo" que tanto apreciaría en los paisajistas que libraron el formulismo académico. Lo consideró capaz de concebir el color como la sonoridad y de ser un gran mediador entre el pensamiento individual y el universo (aquí el "valor relativo"), dotado del genio necesario para producir emociones diversas a partir de las combinaciones precisas de colores o de sonidos.

Los artistas de la órbita de Tablada no eran japonistas como lo fueron en determinadas obras o etapas varios europeos, que abrevaban de manera evidente, aunque con originalidad y brillo, en Utamaro, Hiroshige, Hokusai u otros grandes exponentes del *ukiyo-e*. Tablada no tenía muchas oportunidades de encontrar en sus artistas una liga tan franca, aunque de pronto la hubiera, como en Enciso y varios más que ilustraban la *Revista Moderna* y otras publicaciones. De hecho, solía criticar a artistas demasiado miméticos, como sus amigos Alberto Fuster y sobre todo Roberto Montenegro, quien en determinada época se inspiró "demasiado" en el japonismo de Aubrey Beardsley,

según lo hizo notar. Un ejemplo muy concreto de la búsqueda de Tablada en este sentido lo brinda en una reflexión dedicada al más japonés de todos, Jorge Enciso:

> [...] Enciso puede considerarse como un pintor paisajista. De él, por encima de todos los demás, es de quien puede decirse que descubrió la noche mexicana azul, y fue el primero en discernir un tesoro de armonías de color que dormían en los polvosos pueblos o en los campos a media luz [...] A través de un pintor mexicano nato, Xavier Martínez, un talentoso discípulo de Whistler [...], Enciso recibió la influencia del gran maestro estadounidense, pero, por poseer una individualidad lo suficientemente fuerte como para resistir el peligroso embrujo del poeta de los *Nocturnos*, sus creaciones sólo muestran un sutil aroma, tan remoto como la sutil tendencia japonesa en las obras maestras de Whistler [...] fue el primero en concebir un arte profundo y realmente mexicano, derivado de los monumentos, arquitectura, escultura, pintura, y artesanías indígenas de los distintos grupos que habitaban el México de los tiempos prehispánicos [...].[24]

La alusión directa a los nocturnos de James McNeill Whistler (1834-1903), que sin lugar a dudas tuvo ecos en Enciso, demuestra que Tablada no estaba pensando en los magníficos retratos y escenas femeninas donde el japonismo del gran pintor estadounidense es abierto y protagónico. Le gustan las influencias indirectas y sutiles, siempre y cuando no anulen la originalidad del artista, como ocurrió con el álbum de veinte ilustraciones que Montenegro publicó en París, en 1910, donde advirtió que la mano de su amigo fue casi la de un copista de Aubrey Beardsley. Le hubiera entusiasmado encontrar en México glosas y semiglosas como las de europeos y americanos que dialogaban directamente con estampas japonesas, como, por ejemplo, los citados Beardsley y Whistler; Van Gogh con los puentes, cerezos en flor y otros parajes de Hiroshige; Monet y su japonesa inspirada en una célebre de Utamaro; las geishas de poses naturales y despreocupadas que encendieron la imaginación de Toulouse-Lautrec y de Edgar Degas; la serie que Paul Cézanne dedicó a la montaña Sainte Victorie, teniendo como referencia las vistas del Monte Fuji de Hokusai; o Diego Rivera en *Naturaleza muerta con estampa japonesa*, de 1910, donde destaca el contraste que establece la portentosa ola de Hokusai con la naturaleza muerta que la contiene (una obra dentro de una obra), toda vez que ilustra el enorme impacto del *ukiyo-e* en la conciencia del arte moderno que rompió con la tradición académica (p. 268).

Pero no dejó información que compruebe haber atestiguado diálogos semejantes entre los artistas de su interés, a pesar de que en diversos pasajes de su diario y memorias menciona la observación compartida con algunos de ellos, de álbumes japoneses de reciente adquisición. Futuras investigaciones acaso revelen obra japonesa no consignada por su pluma, aunque sí por su gusto, pero de momento cabe pensar que lo más cercano a esas glosas lo tenemos en su admirado Jorge Enciso, en su *Volcán de Colima* de 1910, firmado con monograma japonés, por ejemplo, que en composición, color y forma, hace patente su deuda con el Hokusai de las treinta y seis vistas del Monte Fuji (p. 276 arriba). También en no pocas piezas de Rafael Ponce de León (p. 273), a la Toulouse-Lautrec, firmadas también con monograma japonés, y en varias, asimismo, de Gerardo Murillo (p. 276 abajo, 279, 280). En los años treinta seguramente encontró glosas interesantes en el grabador, pintor y editor Francisco Díaz de León, con quien editó la revista *Mexican Art and Life*, entre 1937 y 1940.

Con todo, según sus palabras, prefería influencias sutiles que supieran dar forma a las "bellezas singulares" de la patria, incorporando la dimensión estética del paisaje natural y urbano, de lo popular y cotidiano, con un sentimiento poético y una expresión formal contemporánea; que al referir la verdad de la tierra y la comarca tuvieran interiorizada la "relatividad recíproca" de la pintura y la poesía —como lo explican Atsuko Tanabe y Rodolfo Mata—, reforzándose mutuamente "para alcanzar el equilibrio, y por él llegar a la cima poética".[25] Tablada admiraba a los pintores que pensaban como poetas, como Ángel Zárraga, y viceversa. También gustaba de las relaciones sinestésicas y de las alianzas diversas entre las artes, creyendo en lo poético como valor supremo.

La "relatividad recíproca" atañe en nuestro autor a un vínculo estrecho entre artes verbales y visuales, pero no solamente. También involucra condiciones objetivas y subjetivas entre el objeto

representado y el artista. Lo explica a propósito del paisajista José María Velasco, a quien siempre apreció con dificultad. Se justifica la cita larga:

> […] honradamente el pintor Velasco creyó en el valor invariable y absoluto de los colores y en el colorido radical y constante de las cosas.
>
> Su pupila no sospechó el "valor relativo" circunstancial y recíproco de los colores que ha revolucionado nuestra óptica; que produce reacciones en nuestra retina, con elementos heterogéneos y paradójicos; que determina emociones elementales con factores de complicada alquimia, que ha creado casi un nuevo espectro y ha evocado dentro de los colores físicos, almas y espíritus de matices, palpados con los tentáculos de un sentido nuevo, adivinados con las antenas de la intuición tendidas hacia el misterio de lo antes invisible… Ley, en fin, que desde Turner, Hiroshigué y Constable hasta Pissarro, Sisley y Monet, ha creado un nuevo mundo, una América virgen de las artes plásticas: el paisaje moderno.[26]

Kitagawa Utamaro 喜多川歌麿
Sin título (Dos mujeres), *ca.* 1790
Fig. 20

José Clemente Orozco
La recámara, ca. 1910
Fig. 27

La reflexión sitúa al crítico en la línea de los conocimientos que se han ido sumando en el campo específico de las artes plásticas, al menos desde el impresionismo. Está en la ruta de la vanguardia. Habla de paisaje moderno con toda propiedad, mencionando a artistas japoneses al lado de occidentales, en el Olimpo del arte. En su excelente prosa mantendrá el hábito de referirse a exponentes del *ukiyo-e* para cuestionar o para prestigiar artistas y tendencias. Hokusai aparece como contraste, por ejemplo, del academicismo trasnochado de Pelegrín Clavé o como símil prestigiador, al recordar a su gran amigo José Torres Palomar, el creador de los kalogramas. Utamaro y Hokusai suelen acompañar a Orozco, y Tani Bunchō al Dr. Atl, como hemos visto. Hiroshige, Hokusai y Korin son referencias recurrentes en reflexiones que atañen al arte occidental y al mexicano, como otras relativas al empleo del término "caricatura" al comentar obra de José Clemente Orozco, Marius de Zayas, Miguel Covarrubias, así como de William Hogarth, Thomas Rowlandson, Aubrey Beardsley, Constantin Guys, Honoré Daumier, Paul Gavarni.[27]

El tránsito del modernismo a la vanguardia que el crítico construye en el espacio de las artes plásticas corre en paralelo al que protagoniza en el de la creación literaria. También en el primero va predominando el gusto por lo sintético —por el "signismo" que tanto detestaba el Dr. Atl—. No extraña así que promoviera con la fuerza de su pluma y de su inagotable energía de promotor el *Método de dibujo* de Adolfo Best Maugard, inspirado en siete elementos tomados de la tradición folklórica mexicana, y a los kalogramas del malogrado José Torres Palomar, fallecido en 1920 en Nueva York, que son imágenes psicológicas de personas expresadas en colores y líneas, casi siempre dentro de un círculo, por medio de las letras de su nombre. Son para el poeta "arte aplicado, bello y necesario", algo inspirado en el arte sigilar babilónico, en los ideogramas arcaicos chinos y en los sellos de firma japoneses. Tanto el *Método...* de Best como los kalogramas ejemplifican a las claras la importancia que para Tablada tenían las artes aplicadas y su consideración dentro del Arte con mayúsculas, con el fin de ennoblecer la vida de todos los días. En este punto que resume el ideal vanguardista de fundir la esfera del arte en la esfera de la vida cotidiana, con miras a la transformación social, es donde se verifica el cruce entre la tradición del *ukiyo-e*, la Hermandad prerrafaelita, el credo de Ruskin, el arte ancestral y las artesanías locales (apenas consideradas ambas como arte) y el complejísimo pensamiento moderno que es consciente de la existencia y relatividad del signo y de la representación.

Al pensar en las artes aplicadas, cabe precisar, Tablada suele subrayar la preponderancia de la tradición japonesa en este campo sobre todas las demás. "En el Japón, todo es arte", solía escribir: "Desde los más insignificantes objetos de uso doméstico hasta las más altas reacciones espirituales, todo obedece a normas estéticas, a un constante ritmo de belleza que marca igualmente el peine de la cortesana que el suicidio del Conde Nogui junto a la tumba de su Emperador".[28] Por ello, también son la piedra angular de la función social del arte que concibe tanto en los casos ya aludidos como en la visión para valorar "el torrente de la tradición" prehispánica y colonial, sea en los objetos más cotidianos como en las grandes creaciones. Su *Historia del arte en México*, la primera que en el país integra las etapas mencionadas con la moderna, proviene de esta visión.

El binomio Tablada-Enciso es lo más representativo de este tema, sin duda, por ser éste el artista más cercano a lo que el crítico buscaba en el arte mexicano, durante varios años. La obra del alumno de Bernardelli posee todas las ramificaciones que interesan en este caso: desde las glosas evidentes y las producciones "crepusculares y nocturnas de la patria" (de acentos whistlerianos), firmadas con monograma japonés, hasta la producción de sellos prehispánicos, que sin duda deben algo en su inspiración a los sellos japoneses, pasando por su interés por los monumentos históricos y sus murales destruidos y olvidados que parecieran ejemplos monumentales de lo que son los *meisho*, al menos en la semántica y en la sintaxis.

Pero después de Enciso y los artistas perfilados en la palanca de transformación que es *Hiroshigué...*, el tema tiene más exponentes que embonan vía la caricatura, las artes aplicadas, el grabado y otros medios, pocas veces de manera obvia. Pero hay uno particularmente significativo: me refiero al ya citado José Torres Palomar con sus kalogramas. Las más de las veces se ajustan a un monograma japonés, aunque pretenden ser algo más amplio que una firma. Kalograma significa letras bellas, pero la intención de Torres Palomar en estos motivos era conferirles, además de atractivo, un sentido. A manera de caricaturista, tomaba para inspirarse alguna característica de la persona que le solicitaba un kalograma. A Tablada le fascinaron, al grado que impulsó con toda su fuerza al artista en Nueva York, donde le organizó más de una exposición, con apoyo de Marius de Zayas. Al parecer llegó a tener cierto éxito antes de su declive final.

Son monogramas, sí, pero según autores que cita Tablada, y que no dudo que contengan su propia opinión, son una evolución de los mismos. Un kalograma es, dijo uno de ellos, "un microcosmos, una parva obra de arte que capta en sus retículas e iris el estado del alma esencial de una persona, como una gota de agua puede reflejar todo un jardín; y es respecto del vulgar monograma lo que una flor a una legumbre, o una piedra preciosa a un guijarro, o un pavo real a un pavo... a secas".[29]

Varios periódicos que anunciaron las exposiciones de Torres Palomar o, sobre todo, su muerte, reprodujeron textos laudatorios, los de Tablada, por supuesto, y por fortuna también varios kalogramas. La descendencia del artista guarda algún material

muy interesante, y Bertha Balestra, su bisnieta, le dedicó una novela exitosa en la que aparecen sus amigos, entre quienes destacan Atl y Tablada: *De la penumbra azul emergió el fuego* (México, Planeta, 2013). Balestra y algunos familiares más han brindado parte del material en el que destacan tres kalogramas sobrevivientes: en uno que rompe la forma circular se aprecia la palabra "solo". Lo envió Palomar de Nueva York a México en un momento de suma depresión. En los otros dos, circulares, no se han logrado identificar a los retratados, pero sorprende la belleza de uno azul añil que presenta en la parte baja un sello japonés cuadrado. Son de destacarse varias fotografías que retratan al artista como un

José Juan Tablada
"Un artista genial y desventurado.
Torres Palomar", *Pictorial Review*,
abril de 1921
Fig. 61

José Torres Palomar (1875-1921)
Kalograma [detalle], s.f.
Cat. 36

romántico de bandera, aparte de una del estudio donde realizaba los kalogramas y otra más donde se le observa trabajando con un tórculo. También se cuenta con un pequeño dibujo en pincel de su autoría, realizado sobre seda, de un paisaje a la japonesa.

Desde 1900 Tablada manifestó su frustración por no encontrar entre los paisajistas mexicanos alguno capaz de sentir y pensar el paisaje como un japonés. Esta misma frustración la resintió en 1913. Al tomarse descansos durante la escritura de *Hiroshigué...*, sin dejar de vigilar desde la ventana de su estudio las fogatas zapatistas que encendían el Ajusco, solía admirar también su jardín japonés y, seguidamente, en el límite de éste, las bellezas del entorno local: "...tras de las raquetas de chalchihuite de un nopal y las recias pencas de un maguey verdinegro, sobre nuestro cielo de azul único que ni los japoneses soñaron, los dos volcanes encumbran la gloria de sus eternos hielos".[30] Lamentaba entonces que nadie hubiera descubierto y pintado tales prodigios. Lo intentó él mismo, que algo había dibujado y pintado. Se esmeró en fijar la gracia, finura y elegancia en algunos estudios de fauna y flora mínima (asunto en el que tanto insistía, para captar la mirada japonesa).

Con su pluma fue a más, aludiendo a la capacidad sintética y simplificadora de los maestros del *ukiyo-e*, así como a su conciencia naturalista, a la gracia decorativa de asuntos mínimos como una araña en medio de su tela. También explicó las diversas formas en que estas estampas transformaron los puntos de vista del paisaje y propiciaron el "valor relativo" o la "relatividad recíproca" que debe mediar entre el artista y sus modelos. Fue enfático a propósito de las lecciones sobre las representaciones femeninas en Utamaro y otros japoneses que ubicó en el linaje mundial de la pintura galante (aplicando sin pudor categorías hoy insostenibles) e intentó explicar el gran canon del arte japonés, la estilización (a la Beardsley), "que consiste en reducir los motivos de la Naturaleza a sus elementos esenciales, en simplificarlos razonadamente con un propósito decorativo".[31]

¿Cómo y dónde medir la influencia del japonismo de este autor en el arte mexicano? En la obra de los artistas mencionados en estas páginas, además de Miguel Covarrubias, Ángel Zárraga y Luis Hidalgo, entre otros, quienes fueron objeto de su asombro, análisis, encomio y promoción nacional e internacional,

Gerardo Murillo, Dr. Atl
Popocatépetl, ca. 1912
Fig. 24

hasta 1938, por lo menos. La influencia es remota e indirecta en la mayoría de los casos, con la excepción de Enciso, Ponce de León y en alguna medida Montenegro, o más bien debe entenderse como incorporada a la modernidad artística mexicana, de tan notables alcances. Creo que el panorama en el que Tablada encontró ayuno en 1900, en 1914 y aún después, se modificó a finales de la segunda década del siglo xx, cuando pudo verificar en la obra de no pocos artistas algo similar a lo que él planteaba en las páginas de *Hiroshigué...*, y que indica a las claras la lección japonesa que anhelaba para el arte mexicano: "Hacer los 'meisho', parcial y sucesivamente, hoy por ejemplo, el de la región lacustre michoacana; después el de alguna ciudad colonial, más tarde el de algún centro arqueológico o de algún lugar histórico..."[32]

Los artistas de la órbita de Tablada, por así decirlo, tienen en común el haber dado forma a las "bellezas singulares" del país, abrevando de sus sustratos históricos, estéticos, cotidianos y humanos, para enriquecer su visión y su expresión. En general tuvieron vuelo poético y conciencia de la "relatividad recíproca" entre los modelos de la realidad y su propia subjetividad, acusando sutiles y remotas influencias de pintores, ilustradores y caricaturistas modernos, pero sobre todo una notable originalidad distintiva. Apartados en intención del objetivismo académico, optaron por expresiones formales que recogían la realidad visual inmediata, pero haciendo valer la simplificación, la distorsión, la caricaturización, el valor activo y autorreferencial de la línea y de la expresión. En todo ello, tanto en los contenidos como en los discursos plásticos, sean descriptivos o casi abstractos, la influencia japonesa está implícita, con su huella poderosa y sutil a la vez.

Pero más que afuera, el japonismo se cumplió en el gusto del crítico que desde las oficinas burocráticas o desde el ámbito sagrado de su casona japonesa en Coyoacán o desde sus diversos lugares neoyorkinos inventó un futuro del arte mexicano que aún no alcanzamos a valorar y un pasado que por primera vez integró al prehispánico y a las artes aplicadas, bajo la idea —ruskiniana, japonesa, tabladesca— de "pertenecer a un país cuyos habitantes han tenido siempre acendrado amor por la belleza y singular facultad para sentirla y expresarla plásticamente".[33]

Katsushika Hokusai 葛飾北斎
Las cien vistas del Fuji (*Fugaku hyakkei* 富嶽百景*), vol. 1, 1834–1835
Cat. 79

Notas

1 José Juan Tablada, "México de día y de noche. Exposición japonesa. Estampas a colores", en *Excélsior*, año XXI, t. II (7281) (24-03-1937), 1ª secc., p. 5. Cabe señalar que la gran plataforma que impulsó la revaloración y apropiación occidental del arte japonés fue la Exposición Universal celebrada en Londres, en 1851.

2 José Juan Tablada, *Hiroshigué: el pintor de la nieve y de la lluvia, de la noche y de la luna*, México, s.p.i., 1914 (Monografías Japonesas), p. XII. Respetamos la grafía que eligió Tablada para referirse al pintor japonés (Hiroshigué); para el resto de las referencias, empleamos la más comúnmente aceptada: Hiroshige. El archivo puede consultarse en http://www.tablada.unam.mx/hiroshige/p008.html

3 Para la especialista Atsuko Tanabe, *Hiroshigué...* queda comprendido en la tercera y más avanzada etapa del japonismo de Tablada, la cual culmina con la publicación de *Li-Po y otros poemas*, en 1920.

4 En una carta fechada en febrero de 1895, Tablada le escribió a Bernardelli: "Remitiré a usted los periódicos en que mi humilde pluma se ocupe de la interesantísima personalidad artística de usted, y en donde apunte las inolvidables impresiones que su taller y sus cuadros me produjeron". En 1895, ¿se referiría Tablada al taller personal del artista o al célebre que abrió para impartir clases a señoras y señoritas, y en realidad también a varios artistas que a la postre harían historia, el cual se supone abrió en casa de su hermana Fanny? Véase: Laura González Matute y Luis-Martín Lozano, *Félix Bernardelli y su taller*, Guadalajara, Instituto Cultural Cabañas-Ciudad de México, Museo Nacional de San Carlos, 1996, p. 27.

5 José Juan Tablada, "Una exposición de *sketches* en Guadalajara", en *Obras VI. Arte y artistas* (ed. de Adriana Sandoval), México, UNAM, 2000, p. 135.

6 Laura González Matute y Luis-Martín Lozano, *op. cit.*, p. 56.

7 Roberto Montenegro, *Planos en el tiempo. Memorias de Roberto Montenegro*, México, Artes de México, 2001. La edición original es de 1964.

8 Mismos que, con su viaje a Japón, en 1900, culminan su primera etapa japonista, según Atsuko Tanabe.

9 Los apoyos brindados a Montenegro y Enciso debieron incluir algún sueldo de la Subsecretaría; no el de Ponce de León, según explicó más de una vez Tablada, porque éste provenía de una familia acomodada y no necesitaba trabajar.

10 Aparecieron publicados en *El Nacional*, en la materia que aquí interesa, uno fundamental dedicado a Ramos Martínez y otro al artista Martín Chávez, donde Tablada pondera las artesanías y artes aplicadas.

11 José Juan Tablada, "México artista. Alfredo Ramos Martínez", en *La crítica de arte en México: 1896-1921* (ed. de Xavier Moyssén), México, Instituto de Investigaciones Estéticas-UNAM, 1999, p. 75.

12 José Juan Tablada, "Álbum del Extremo Oriente. A Hyoshio Furukava", *Revista Moderna. Arte y Ciencia*, año III, núm. 8, (2ª quincena, abril de 1900), p. 114.

13 Con la cual también se entiende su proclividad a aplicar las categorías estéticas y artísticas occidentales de la época, no necesariamente vigentes hoy día.

14 Es importante advertir que, si bien las decoraciones murales son susceptibles de equipararse a los *meisho*, Tablada se refiere a producciones propiamente editoriales. Éstas le importaban mucho y tenían que ver con su idea de democratizar el arte. No consideró en este campo al grabado mexicano ni a las espléndidas carpetas realizadas por los artistas del Taller de la Gráfica Popular, aunque sí a dos libros fundacionales del Dr. Atl, *Las artes populares en México* y *Las iglesias de México*. En ellos, observó Tablada, el autor aligeró la parte mecánica de la tipografía, interviniendo en las imágenes mediante finos estarcidos salidos de su mano. Recordó con ello a la sutileza de la xilografía japonesa.

15 José Juan Tablada, *Hiroshigué..., op. cit.*, p. 71.

16 Orlando Suárez, *Inventario del muralismo mexicano*, México, UNAM, 1972, pp. 131-132.

17 José Juan Tablada, "Un pintor de la mujer: José Clemente Orozco", *El Mundo Ilustrado*, año XX, t. II, núm. 19 (9 noviembre 1913), p. 2. El artículo está reproducido parcialmente por Jean Charlot en su libro *El renacimiento mexicano (1920-1925)*, México, Editorial Domés, pp. 249-250.

18 José Juan Tablada, "Un pintor de la mujer: José Clemente Orozco", *op. cit.*, p. 3.

19 También le encontró semejanzas con los pintores Henri Martin (1860-1943) y Jean-Louis Forain (1852-1931), el segundo, claro antecesor de Toulouse-Lautrec.

20 José Juan Tablada, "Un pintor de la mujer: José Clemente Orozco", *op. cit.*, p. 3.

21 José Juan Tablada, "Orozco, el Goya mexicano", en *Obras VI. Arte y artistas, op. cit.*, pp. 387-388.

22 José Clemente Orozco, *Autobiografía*, México, Ediciones Era, 1999, p. 22.

23 El elogio a Atl lo publicó en *Mexican Art and Life,* una revista escrita en inglés de la que se publicaron siete números, bajo su dirección editorial.

24 José Juan Tablada, "La pintura mexicana contemporánea", en *Obras VI. Arte y artistas, op. cit.*, p. 292.

25 Atsuko Tanabe, *El japonismo de José Juan Tablada*, México, UNAM, 1981, pp. 104-105.

26 José Juan Tablada, "El pintor José María Velasco", *El Mundo Ilustrado*, año XIX, t. II, núm. 9 (1 septiembre 1912), p. 2.

27 José Juan Tablada, "El pintor José María Velasco", en *Obras VI. Arte y artistas, op. cit.*, p. 186.

28 José Juan Tablada, "La función social del arte", en *Obras VI. Arte y artistas, op. cit.*, p. 318.

29 José Juan Tablada, "José Torres Palomar", en *Obras VI. Arte y artistas, op. cit.*, p. 260.

30 José Juan Tablada, *Hiroshigué..., op. cit.*, pp. 72-73.

31 José Juan Tablada, "Aubrey Beardsley", *Revista Moderna de México* (octubre 1904), p. 120

32 José Juan Tablada, *Hiroshigué..., op. cit.*, p. 75.

33 José Juan Tablada, *Historia del arte en México*, México, Compañía Nacional Editora Águilas, 1927, p. 7.

OBRA

ENCUENTROS CON JAPÓN

Miguel Covarrubias (1904–1957)
José Juan Tablada, s.f.
Cat. 7

Autor no identificado
José Juan Tablada, ca. 1925
Cat. 1

Miguel Covarrubias
Caricatura de José Juan Tablada, s.f.
Cat. 6
Tablada aparece en esta caricatura y en la anterior en postura de meditación y sobre una flor de loto como muchas veces se representa a Buda. En ambas los ideogramas tienen errores de escritura y no muestran coherencia. La que está de perfil tiene enfrente un incensario de estilo chino; mientras que en la que se reproduce aquí, vemos a Tablada con la esvástica en el pecho, símbolo auspiciatorio en la India.

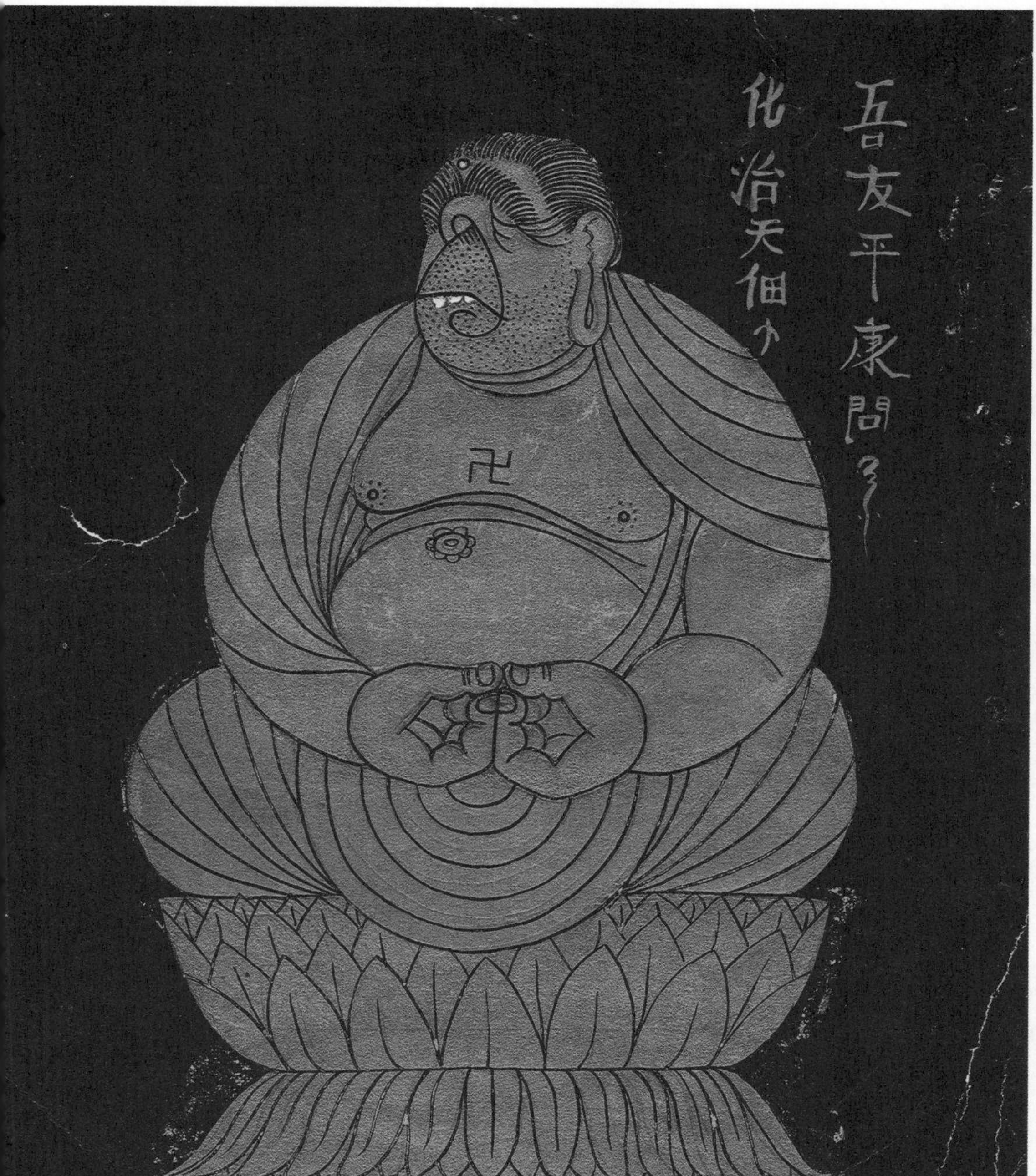
吾友平康問
化治天佃
COVARRUBIAS

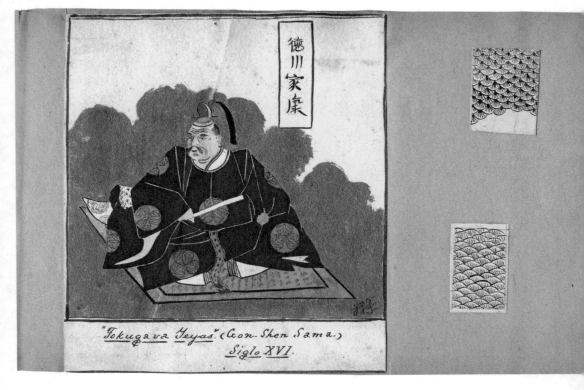

"Tokugava Yeyas" (Gon-Shen Sama.)
Siglo XVI.

José Juan Tablada
Cuaderno que incluye varios dibujos de tema japonés, *ca.* 1892-1914
Cat. 24

Tokugava Yeyas [Tokugawa Ieyasu] (a)
En este cuaderno Tablada reunió dibujos y acuarelas con temas japoneses que
realizó a lo largo de varios años. Muchos son copias de las imágenes que ilustraban
libros de su biblioteca, así como de obras originales con las que tuvo contacto
directo. Podemos apreciar en ellos las habilidades del poeta con el dibujo.

Estudios para un abanico (d)

Desfile de personajes japoneses, 1895 (l)

Desfile de personajes (b)

Principe japonés.
melchnikof.

Noble japonés.
Metchnicof.

Principe japonés, 1895 (o)

Noble japonés, 1895 (p)

Garza, 1895 (n)

Página izquierda:
Kosunoke Mashashige, 1894 (i)

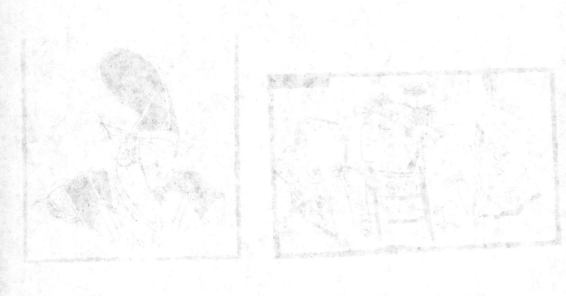

José Juan Tablada
Koro: Pebetero del culto budista, 1900
Cat. 27
Acuarela de un incensario pequeño de bronce. Este tipo de incensario casero es muy común en Japón. Por la fecha y el tema, es muy probable que Tablada haya realizado el dibujo en Japón, directamente del objeto. El poeta acostumbraba vagar por las tiendas de antigüedades y librerías de Yokohama, por lo que quizás allí vio y/o compró el incensario.

José Juan Tablada
Cuaderno que incluye varios dibujos de
tema japonés, *ca.* 1892–1914
Cat. 24

Linterna japonesa (f)

Hombre junto a una fogata, 1895 (m)

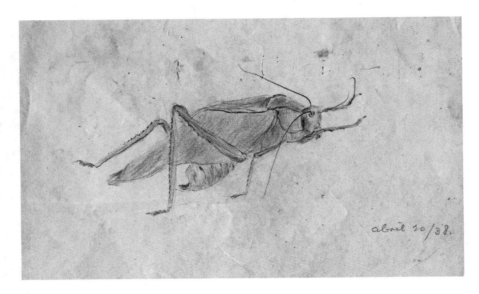

abril 20/38.

José Juan Tablada
Saltamontes, 1938
Cat. 32
La pasión del poeta por la naturaleza, y en particular por la
entomología, lo acompañó desde pequeño. En varias hojas sueltas,
así como en sus cuadernos, plasmó representaciones de insectos.
Desconocemos si los dibujó del modelo vivo o desde algún libro
o estampa japonesa, como varias de las que poseía.

Página derecha:
Watanabe Shōtei 渡辺省亭, también conocido como Seitei (1852-1918)
Sin título, *ca.* 1880
Cat. 72

Watanabe Shōtei 渡辺省亭, también conocido como Seitei
Sin título, *ca.* 1880
Cat. 71
Dos estampas de una serie sobre insectos y plantas del pintor Shōtei,
artista que se dedicó al estilo neo-tradicionalista *Nihonga* y consagró
una buena parte de su producción a imágenes de animales y plantas.
Por otro lado, fue uno de los primeros pintores japoneses que viajó
a Europa para estudiar allí.

15

José Juan Tablada
Oncidium tigrinum, 1914
Cat. 29
Por las fechas en que Tablada realizó esta acuarela, se puede suponer que la
copió del invernadero que mantenía en su jardín en Coyoacán. En sus memorias
el poeta cuenta que, una semana antes de su partida al extranjero, en septiembre
de 1914, vio florecer otras variedades de orquídeas en su jardín estilo japonés.
Se aprecia aquí uno de los sellos de firma estilo chino-japonés que utilizaba.

N? 3.
ONCIDIUM
TIGRINUN

1.18.914

Puerto del
Jardín de thé
en Golden Gate
Park Su Franco Cal
mayo 30/1900

José Juan Tablada
Puerta del jardín de thé en Golden Gate Park, 1900
Cat. 31
Después de una escala en el puerto de San Francisco, Tablada abordó el barco
que lo llevaría a aguas niponas. En esa ciudad estadounidense visitó el parque
del Golden Gate, donde se ubica el jardín japonés más antiguo de ese país.
Allí pintó una de las puertas de entrada al jardín como si fuera un presagio de
lo que próximamente vería.

José Juan Tablada
Yokohama, entre Motomachi y el Gran Canal, 1900
Cat. 34
Ya en Yokohama, Tablada se instaló en una zona un tanto alejada del centro de la
ciudad y del barrio europeo. La razón de esto quizás radica en que, como no tenía
mucho dinero, encontró allí una renta más económica. Esta zona de Motomachi,
en las cercanías con el barrio chino, era también un importante espacio comercial
de la ciudad.

José Juan Tablada
En el país del sol, 1900
Cat. 26
Boceto que realizó Tablada en Yokohama para el artículo "Sitios. Episodios.
Impresiones", y que ilustró la portada de la *Revista Moderna* como parte
de su serie "En el país del sol". La imagen de las garzas es una copia de
una de las ilustraciones del volumen 15 del libro *Bosquejos de Hokusai*.
En la segunda entrega de esta serie, Tablada narró sobre todo las primeras
impresiones de su llegada a Yokohama.

Página derecha:
José Juan Tablada [ilustración
de portada y texto]
"En el país del sol", *Revista Moderna*,
1ª quincena de septiembre de 1900
Cat. 86

Año III   México, 1ª Quincena de Septiembre de 1900   Núm. 17

Revista Moderna
ARTE Y CIENCIA.
DIRECTOR: JESUS E. VALENZUELA.   ADMINISTRADOR: G. DE LA PEÑA.

EN EL PAIS DEL SOL

SITIOS.—EPISODIOS.—IMPRESIONES.

Nipón! Nipón! Nipón! Y el criado chino entra á
mi camarote, gesticulante, ansioso por ser el primero en darme la buena nueva.... Me visto al albor indeciso de la madrugada y subo á cubierta,
creyendo que no bien traspasada la escotilla, el Japón amado y soñado va á saltar á mis ojos en un
feérico apoteosis con sus pagodas y sus plenilunios
y sus cortejos de musmés y sus tropeles de samu-
rais.... Pero nada! apenas si durante la noche el
mar ha cambiado de aspecto.... Ya no es aquella
vasta extensión desolada, verdadero cementerio
marítimo en cuyas palideces mi tedio creía distinguir los cadáveres de todos los tritones y á todas
las sirenas difuntas, arrancadas de sus túmulos de
coral y flotando con sus blanquísimos cuerpos á la
deriva, entre rotas medusas de cristal, bajo morta-
jas hechas con los encajes de la espuma y el lino
satinado de la luna! Ni nuestro Leduc, ese lobo, ese
lobezno de mar, hoy encallado en los arrecifes pe-
riodísticos, hubiera podido colocar un episodio sobre los azogues desteñidos del mar de mi travesía!
El «navío errante,» el «buque fantasma,» el bajel es-
plenético del «Holandés volador» debe haber regis-
trado muchos días como esos en su diario de bitá-
cora.... Pero, en fin, el brumoso éxodo ha concluí-
do; en estos instantes, gruesas y ágiles olas de un

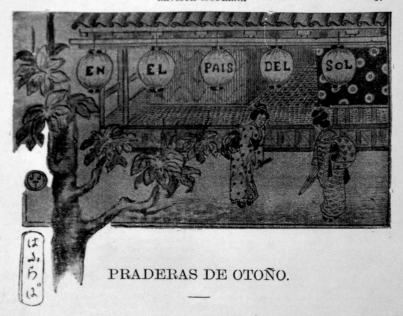

PRADERAS DE OTOÑO.

—

Llora el Otoño que se va! Llora sobre las auroras opacas que se levantan bostezando en lechos de fríos plumones, en alcobas de muselinas densas; llora sobre los helados mediodías que pasan, todos bruma, con un sol escarlata enmedio, como polares osos blancos de jadeante lengua roja....; llora en los largos crepúsculos que ahondan el tedio y magnifican la melancolía y en cuyo albor indeciso palidece un cadáver: el Sol, y albea un fantasma: la Luna....

Dónde están mis tardes mexicanas, de largas nubes sombrías y vivos ampos dorados, áureas y negras como la piel de una tigresa....? Llora el Otoño inconsolablemente....! Los vidrios de mi ventana están llenos de lágrimas, y en estos instantes en que la nostalgia se obstina en besarme como una odiosa querida, el primer huracán del Invierno golpea brutalmente la vidriera dolorosa con el bofetón de un rufián sobre una mejilla inconsolable....

Llega este Invierno sonando una glacial «tocata» en su clarín de hielo. Lo preceden sombríos heraldos de negras armaduras crujientes, de grandes aírones tempestuosos.... En el yerto campo de batalla se arremolinarán las ventiscas y se desplomarán los aludes....; hay legionarios que despedazan los témpanos para hacer hachas; toda una falange aguza lanzas y dardos de hielo.... Y en brutal desafío, en provocación insolente, choca el Invierno su álgida rodela con el broquel del sol, sonoro y áureo!.... Los rayos del sol se tienden lacios como aljabas de oro lanzadas por brazos pusilánimes...

Ya no tiene el Sol áureos paladines que llenen de púrpura el estadio, sino efebos cobardes que tienden flavas antorchas nupciales cuando el Invierno, para preñarla de huracanes, busca en su tálamo á Nivosa.... Pero aún el Otoño vive, y antes de que el Invierno triunfe celebrará luminosos festivales el Otoño, triste y glorioso como un César decadente, sabio en sus magnificencias, pródigo en sus pompas, agonizando entre flores que se deshojan, entre perfumes que arden, entre hetairas que cantan, dejándose morir suntuosamente como un Emperador Bizantino!

⁎

Entre los días álgidos y pluviosos del Invierno que avanza, hay en el Japón luminosas mañanas y tardes magníficas. Los jardines, antes de dejarse besar por la nieve, hacen alarde de un brillo inaudito, y en praderas y bosques, donde los bambúes echan á volar sus últimos plumones de esmeralda, donde los cedros resisten austeros como ascetas y vigorosos como guerreros, brilla el «momiji,» con su milagrosa policromía! El «momiji» es el arce nuestro, el «cerâble» de Francia, el «maple» de la corona británica, el «Acer polymorphum,» en fin, de los botánicos.... Con las otoñales crisantemas, con la primaveral flor del cerezo forma la regia trilogía en el poema floral del Japón....

Como los griegos las «Antesterias», como los latinos sus «Floralias,» como la pecadora Niza contemporánea los floridos combates, el Japón ce'ebra

José Juan Tablada
*Los templos de la Shiba. Un entierro
en el Japón. Cha-no-yu*, s.f.
Cat. 28
Boceto que sirve como imagen genérica
para varios artículos de la serie "En el país
del sol", publicada en la *Revista Moderna*.

Página izquierda:
José Juan Tablada [ilustración y texto]
"Praderas de otoño", *Revista Moderna*,
1ª quincena de enero de 1901
Cat. 87

EN EL PAÍS DEL SOL

Por JOSÉ JUAN TABLADA

D. APPLETON y COMPAÑÍA
NUEVA YORK — LONDRES

José Juan Tablada
En el país del sol, 1919
Cat. 83

José Juan Tablada
Programa de mano de un teatro japonés, s.f.
Cat. 30
Boceto para ilustrar el artículo "Un teatro popular", aparecido en la *Revista Moderna* en febrero de 1901 (pp. 38-39). La imagen desde donde copió el boceto se refiere al programa de la obra *Extraña historia del gato fantasma de las profundidades de Sagano*, puesta en escena en el teatro Tsutaza de Yokohama, el 18 de noviembre de 1900.

Autor no identificado
José Juan Tablada en su estudio, s.f.
Cat. 2

Nina Cabrera de Tablada [Eulalia Cabrera Douval] (1895-¿?)
Retrato de actor de teatro kabuki, s.f.
Cat. 5

Nina Cabrera de Tablada [Eulalia Cabrera Douval]
Retrato de actor de kabuki, s.f.
Cat. 4
Caricaturas que realizó la esposa de Tablada, Nina Cabrera, de las estampas de Sharaku que poseía el poeta. En la foto de Tablada en su estudio, se pueden apreciar cuatro estampas de Sharaku que tenía colocadas en un biombo, y que parecen sirvieron de inspiración a Nina para sus dibujos.

Autor no identificado, basado en la obra de Tōshūsai Sharaku 東洲斎写楽 (activo 1794-1795)
El actor Ichikawa Ebizō en el papel de Takemura Sadanoshin, siglo xx
Cat. 3
Reproducción xilográfica a menor escala de la estampa *El actor Ichikawa Ebizō en el papel de Takemura Sadanoshin*, de 1794, del ilustrador Tōshūsai Sharaku. Estas reproducciones xilográficas basadas en obras maestras del *ukiyo-e* se realizaban como ilustraciones de libros modernos sobre arte japonés o como *souvenirs* para turistas.

José Juan Tablada
*Hiroshigué. El pintor de la nieve y de la lluvia,
de la noche y de la luna,* 1914
Cat. 84

JOSE JUAN TABLADA.

✥ HIROSHIGUÉ ✥

EL PINTOR DE LA NIEVE

▨ ▨ Y DE LA LLUVIA ▨ ▨

DE LA NOCHE Y DE LA LUNA.

MEXICO.
MONOGRAFIAS JAPONESAS.
—
1914.

Hiroshigué:
La lluvia en el camino.
53 Estaciones del Tokaido.

José Juan Tablada
Catálogo de pintores japoneses. Sus obras en mi colección y literatura sobre ellos, núm. 2, s.f.
Cat. 23
Uno de los "entretenimientos" que con más frecuencia menciona Tablada en su diario es el hacer listas y catálogos. En este cuaderno, que se reproduce por primera vez, apuntó información diversa sobre pintores japoneses, así como sobre los libros que de ellos guardaba en su biblioteca.

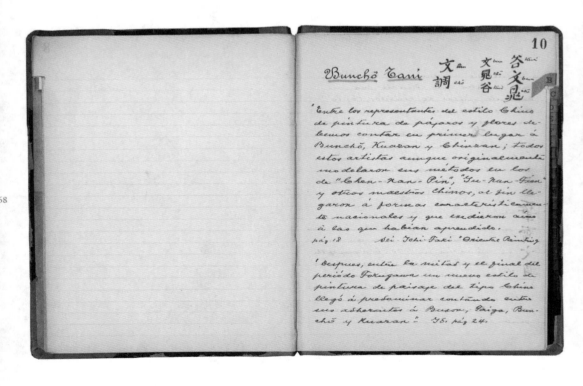

Mitiutani mi amigo de Yokohama me contaba que Buncho era un excelente pintor de cuervos, como Chokuan lo fué de gerifaltes, y que al firmar le daba al ideograma 文 (bun) de su nombre la forma esquemática de un cuervo. Estas dos circunstancias hicieron que se diera el pintor el "nom de pinceau" de "Buncho Karasu" ó sea "Buncho-Cuervo".

筆 齋 文 調 (hitsu sai bun cho)

Von Seidlitz en "Japanese Colour prints" pág 114 dice: "Ipitinsai Buncho como su rival Shuncho alcanzó su culminación en 1770 (beginning of the seventies). Murió en 1796. Su verdadero nombre fué Kishi; su nombre en arte Kyemon. Fué discípulo de Ishikawa Kogwen. Y luego enumera los caracteres excepcionales de sus grabados.....

en una poesía escrita en mi huerta de Cuernavaca dije:

Croasando un cuervo vuela
Pasan uno, dos, tres...
Como en una acuarela
De Buncho el japonés.

Y "Pei san" en "Notes sur l'art Japonais" 314 dice: "Tani Buntcho (1764 á 1842) (Bun-yo; Bun-go ro; Shozan-ro; Gwa ga rusai) discípulo de Kato Bunrei y de Kiyotama Kongwen. Estudió también á Seshiu y á Tanyu y se crea un estilo original (Hijo de Tani Roku Koku)"
¡Qué flagrante contradicción son lo que dice Von Seidlitz!
Ver "Pei San" 121 para detalles.
Pero las discordancias siguen. En su "Japanese Art", Sadakichi Hartmann 126 dice: "Buntcho (1765-1801) etc.... (!)

Anderson en "Japanese Wood engravings" 123 dice: "Tani Buncho es un exe-

lente suplemento del grupo de los "Meisho dzu yé" y contiene muchos vigorosos "sketches" del paisaje montañoso del Japón!"
Alude Anderson al "Nipon Meisan dzuyé" (P.14 de mi colección) que es una série de obras maestras de dibujos orográficos en que los simples líneas expresan una emocionante grandeza cósmica....
Los "Meisho dzuyé" ó "Libros topográficos" como les llaman los ingleses son "Guías" de regiones pintorescas ó ciudades célebres, pero guías ilustradas por el arte japonés que ennoblece y depura cuanto toca. Ciudades, monumentos, templos; Paisajes célebres, episodios históricos, objetos arqueológicos, tradiciones, folk lore... todo está allí, amorosamente dibujado y piadosamente encantado con los prestigios del arte....

Así se hacen las patrias que moralmente no son sino las tradiciones recogidas por los poetas ó por el arte de los pintores que como en el Japón todo lo hacen dilecto y venerable! ¿Cuándo haremos eso en Mexico?....

El viaje de Buncho en compañía del daimio de Matsu Saira - Hokka 273.
* Caracteres de su paisaje - " 265
" Pintor de figura 同 同

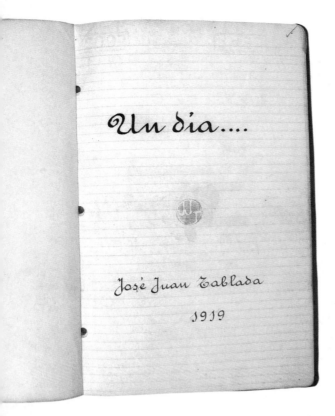

Un día… *Poemas sintéticos*, 1919
Cat. 33
Tablada escribió este libro en la estancia veraniega La Esperanza, cerca de Bogotá a principios de 1919, y en septiembre el volumen salió publicado en Caracas. El manuscrito contiene las imágenes originales que Tablada dibujó a lápiz e iluminó con acuarela para acompañar cada uno de sus poemas, que aparecen escritos con cuidada caligrafía.

Un día….

José Juan Tablada

1919

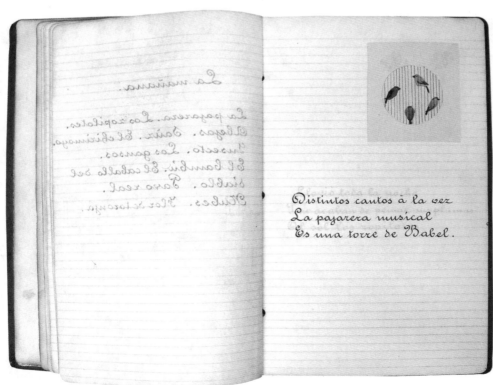

Distintos cantos á la vez
La pajarera musical
Es una torre de Babel.

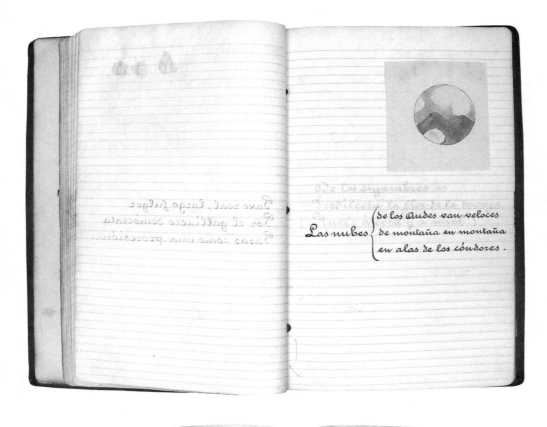

Las nubes { de los Andes van veloces
de montaña en montaña
en alas de los cóndores.

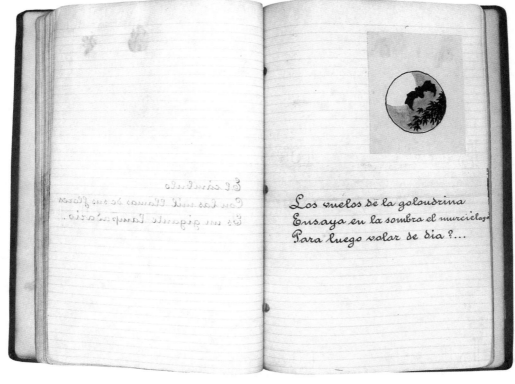

Los vuelos de la golondrina
Ensaya en la sombra el murciélago
Para luego volar de día?...

江戸紫次籠　廾一

TABLADA COLECCIONISTA

Katsushika Hokusai 葛飾北斎
Bosquejos de Hokusai (*Hokusai manga* 北斎漫画), vol. 2, 1878
Cat. 77

Páginas del segundo volumen de los *Bosquejos de Hokusai*, que muestran varias imágenes de dragones y otros seres. En general, los 15 volúmenes de este famoso libro compendian estudios de diverso tipo de personajes, seres, edificios, paisajes y objetos que este prolífico pintor e ilustrador realizó a lo largo de su vida.

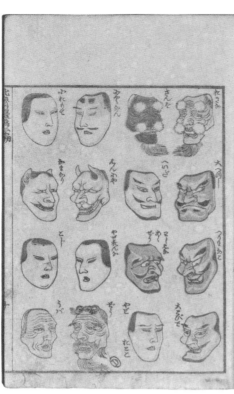
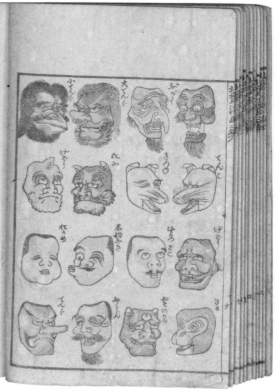

Katsushika Hokusai 葛飾北斎
Bosquejos de Hokusai (*Hokusai manga* 北斎漫画), vol. 14,
1878
Cat. 78

En la portada de este volumen de los *Bosquejos de
Hokusai*, Tablada anotó que lo compró unos pocos
días después de su arribo a Japón en la librería Maruya
de Yokohama. Ubicada en la calle Benten, fue el
antecedente de lo que hoy conocemos como Maruzen,
una de las más importantes librerías del país.

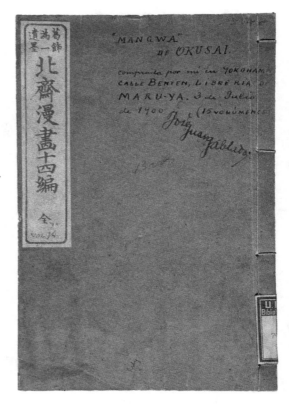

17

Hasegawa Settan 長谷川雪旦 (1778-1843) [ilustraciones]
Saitō Yukio 斎藤幸雄 (1737-1799)
Saitō Yukitaka 斎藤幸孝 (1772-1818)
Saitō Gesshin 斎藤月岑 (1804-1878) [texto]
Guía ilustrada de lugares famosos de Edo (*Edo meisho zue* 江戸名所図会*), vol. 1, s.f.
Cat. 76
Este libro, producido en diez volúmenes entre los años de 1834 y 1836, fue uno de los éxitos de venta de la industria editorial de Edo. Compendia una serie de vistas de sitios famosos de la ciudad de Edo y fue parte también del auge de imágenes "turísticas" del país. Tablada coleccionó la serie completa, que se conserva en la actualidad.

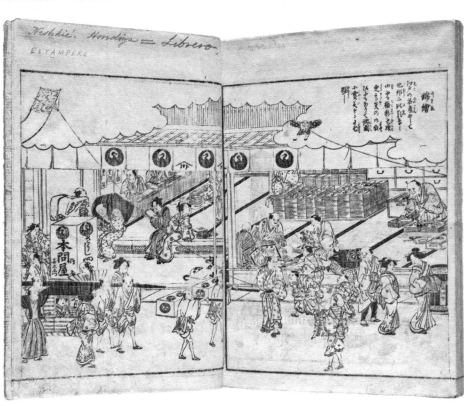

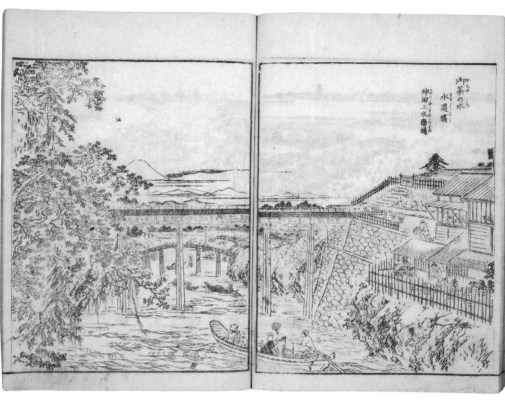

御茶の水 水道橋 神田上水懸樋

竹玉ヶ池の古事

Morimoto Tōkaku 森本東閣 (1877-1947)
Libro ilustrado de especies de insectos (*Chūrui gafu* 蟲類画譜), 1910
Cat. 81

Otro ejemplo de los libros ilustrados japoneses que poseía Tablada y que se conservan hoy. Éste es un álbum donde se ilustran diversos tipos de insectos y plantas. Estos "catálogos" fueron producidos en importante número por la industria editorial desde fines del siglo XVIII y contemplaron no sólo seres vivos, sino objetos, lugares y personajes. Como vemos en las páginas 182-183, Watanabe Seitei es uno de los pintores e ilustradores modernos más conocidos que se especializó en este género.

オホミヅアヲ

蟲類画譜

洛中堂蔵板

廿一

ウラナミアカシジミ

蟲類画譜

洛中堂蔵板

廿二

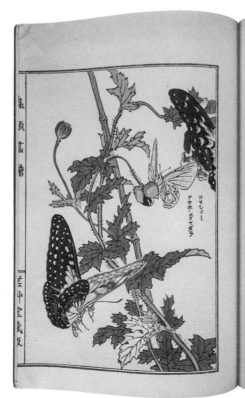

コマシジミ
アカホシゴマダラ

蟲類画譜

洛中堂蔵板

18

Watanabe Shōtei 渡辺省亭, también conocido como Seitei
Álbum ilustrado de pájaros y flores (*Kachō gafu* 花鳥画譜), 1890
Cat. 88

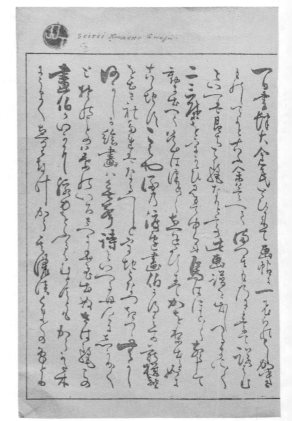

Yamada Naosaburō 山田直三郎 (1892-¿?)
Furuya Kōrin 古谷紅隣 (1875-1910)
Mar de arte (*Bijutsu-kai* 美術海), vol. 30, 1897
Cat. 89
Legendaria revista de diseño que se publicó en Kioto desde fines del siglo XIX y donde se reunían diseños y patrones de los más importantes artistas, como fue Kamisaka Sekka. Para Tablada, estos libros y revistas japonesas tuvieron un inmenso impacto en la visión que después incorporó a su propio discurso sobre el papel de las artes aplicadas.

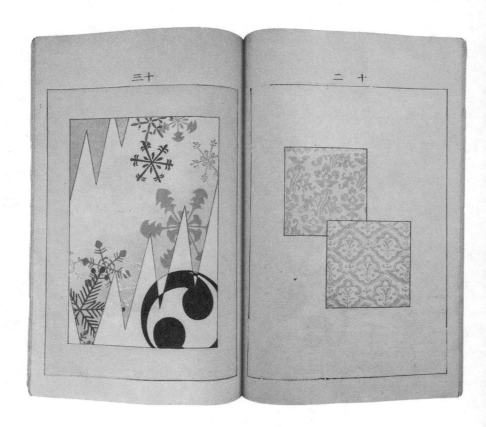

三十　　　　　二十

十五　　　　　十四

18

Katsushika Hokusai 葛飾北斎
Las cien vistas del Fuji (*Fugaku hyakkei* 富嶽百景), vol. 1,
1834-1835
Cat. 79
Libro ilustrado por Hokusai de vistas del monte Fuji, que
forma parte de la colección de Tablada que hoy día se
conserva en la Biblioteca Nacional, UNAM. Como se aprecia
en las obras japonesas que conocemos de su colección,
Tablada tenía un especial interés en el tema del paisaje
japonés, al que veía como un modelo a aplicar en el arte
moderno mexicano.

Utagawa Hiroshige 歌川広重 (1797-1858)
Vista de Kōnodai y del río Tone (*Kōnodai Tonegawa fūkei* 鴻の台とね川風景),
de la serie "Cien vistas famosas de Edo" ("Meisho Edo hyakkei" 名所江戸百景), 1856
Cat. 53
Estas dos piezas corresponden a una de las series más conocidas de Hiroshige, que
se enfoca a mostrar lugares célebres de la ciudad de Edo (actual Tokio). A pesar de
que Hiroshige no es el que introduce el paisaje en la estampa japonesa, es, junto con
Hokusai, quien explota al máximo las posibilidades de la fórmula, así como su éxito.

Utagawa Hiroshige 歌川広重
El puente de Yatsumi (*Yatsumi no hashi* 八ツ見のはし), de la serie
"Vistas famosas de Tokio" ("Tōkyō meisho" 東京名所), fines del siglo XIX
Cat. 50

Utagawa Hiroshige 歌川広重
Ermita de Bashō y Cerro de las Camelias en el acueducto de Sekiguchi (*Sekiguchi jōsui-bata Bashō-an Tsubaki-yama* せき口上水端はせを庵椿やま), de la serie "Vistas famosas de Tokio" ("Tōkyō meisho" 東京名所), fines del siglo XIX
Cat. 51
Esta obra es un ejemplo de las estrategias comerciales de las casas editoriales del siglo XIX. En concreto, es una reedición alterada de una de las estampas de Hiroshige –mostradas en este núcleo– de la serie "Cien vistas famosas de Edo", impresa mucho tiempo después que la original. Estas piezas por regla general se vendían a incautos o a turistas.

Utagawa Hiroshige II 二代歌川広重 (1826-1869)
La villa de Sekiya (*Sekiya no sato* 関屋のさと), de la serie "Treinta y seis vistas de la capital del este" ("Tōto sanjūrokkei" 東都三十六景), 1862
Cat. 54
El éxito de los *ukiyo-e* con tema de paisajes famosos que desarrolló Hiroshige fue tan destacado, que muchos de sus discípulos continuaron inundando el mercado con este tipo de imágenes. Tablada nunca alcanzó a diferenciar a Hiroshige de sus discípulos cercanos, quienes adoptaban el mismo nombre de su maestro, como en este caso.

Utagawa Kunisada I 歌川国貞, también conocido como Toyokuni III 三代豊国
Utagawa Hiroshige II 二代歌川広重
El jardín de irises de Horikiri (*Horikiri hanashōbu* 堀きり花菖蒲), de la serie "El orgullo de Edo, treinta y seis escenas" ("Edo jiman, sanjūrokkei" 江戸自慢三十六興), 1864
Cat. 60
Otra de las estrategias comerciales de los editores era la colaboración entre ilustradores para alguna serie en particular. En este caso vemos la contribución de Hiroshige II para la realización del paisaje de fondo, mientras se invita a Kunisada I, muy famoso en ese momento, por su habilidad para diseñar los personajes del frente.

Utagawa Kunisada I 歌川国貞, también conocido como Toyokuni III 三代豊国
Utagawa Hiroshige II 二代歌川広重
Nieve en el jardín (*Teichū no yuki* 庭中之雪), de la serie "El Genji en colaboración de pinceles" ("Gappitsu Genji" 合筆源氏), 1859
Cat. 61
Es este otro ejemplo de colaboración entre Kunisada I y Hiroshige II. El pretexto para la alianza es otra versión en imágenes de los *Cuentos de Genji*, que se suma al trabajo de popularización que a partir del año 1829 comenzó a realizar el escritor Ryūtei Tanehiko (1783-1842) con su obra *La falsa Murasaki y el Genji de campo*.

Toyohara Kunichika 豊原国周 (1835-1900)
El actor Nakamura Shikan como Ishikawa Goemon (*Ishikawa Goemon, Nakamura Shikan* 石川五右エ門・中村芝翫), 1859
Cat. 41
El ilustrador Toyohara Kunichika puede considerarse como el último gran artista de estampas de actores del *kabuki* en la historia del *ukiyo-e*. Discípulo de Utagawa Kunisada I, fue un estudiante muy talentoso que se especializó en esta temática. Vivió y produjo toda su obra en la ciudad de Edo.

Páginas 202 a 205:
Toyohara Kunichika 豊原国周
El actor Sawamura Tosshō en el papel de Fukuoka Mitsugu (*Fukuoka Mitsugu, Sawamura Tosshō* 福岡貢・澤村訥升), ca. 1860
Cat. 43
Así como las estampas de mujeres bellas, las de actores del teatro *kabuki* (o *yakusha-e*) fueron de los temas genésicos de la historia de la estampa japonesa. Durante toda la época Edo (1603-1867), los actores del *kabuki* no sólo fueron ídolos populares sino también, en ocasiones, símbolos sexuales como sucede igual hoy con los actores de cine.

Toyohara Kunichika 豊原国周
El actor Nakamura Shikan como Masaki Gennojō (*Masaki Gennojō, Nakamura Shikan* 正木源之丞・中村芝翫), ca. 1865
Cat. 42
Durante buena parte del periodo Meiji (1868-1912), el actor de Osaka Nakamura Shikan IV fue otro de los intérpretes de *kabuki* más populares en el país. La estampa *ukiyo-e* acostumbraba a retratar a los actores en plena faena como vía para promocionar las obras que se estrenarían, o como carteles coleccionables para los aficionados.

Toyohara Kunichika 豊原国周
El actor Ichikawa Danjūrō en el papel de Ōkubo Hikozaemon (*Ōkubo Hikozaemon, Ichikawa Danjūrō* 大久保彦左エ門・市川団十郎), 1893
Cat. 40
Estas estampas de actores del *kabuki* son, en época, bastante cercanas al tipo de teatro que vio Tablada durante su estancia en Japón. En este caso, la imagen representa al popular actor Ichikawa Danjūrō IX, quien fue la principal estrella del *kabuki* en el periodo Meiji (1868-1912).

Utagawa (Baidō) Kokunimasa 歌川(梅堂)小国政 (1874-1944)
Obra de kyōgen de marzo para el teatro Kabukiza – Escena frente al santuario Tsurugaoka Hachimangu (*Kabukiza sangatsu kyōgen – Tsurugaoka Hachimangu shazen no ba* 歌舞伎座三月狂言・鶴ヶ岡八幡宮社前の場), 1893
Cat. 48
Esta hoja es un fragmento de un tríptico que representa al actor Onoe Kikugorō encarnando al monje Kugyō antes de cometer el famoso asesinato del tercer *shogun* de la época Kamakura (1185-1333), Minamoto no Sanetomo. Este tipo de anécdotas de la historia del pasado eran muy comunes en las obras del teatro *kabuki*.

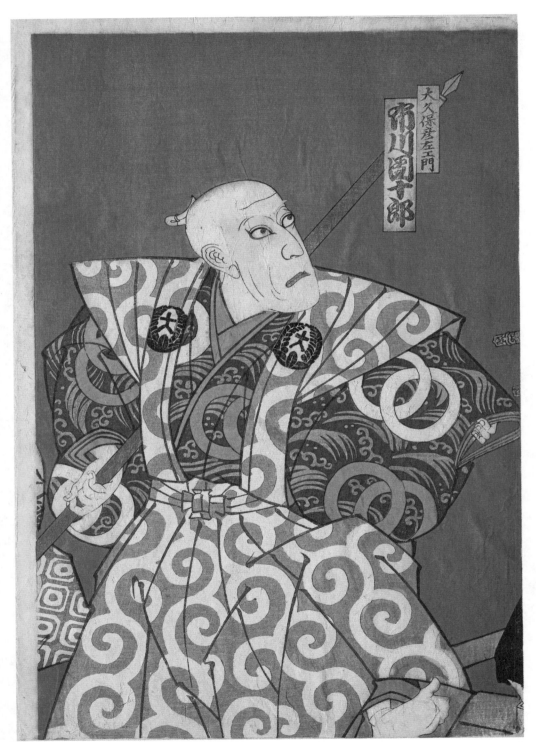

Varios ilustradores
Álbum de coleccionista con estampas japonesas, siglo XIX
Cat. 70
Este álbum reúne un importante conjunto de estampas *ukiyo-e* con el tema de actores del teatro *kabuki*, así como otras con diversos contenidos vinculados con el Japón moderno de la segunda mitad del siglo XIX. Era muy común que se compraran sueltas las estampas y que, para protegerlas, se mandaran a montar en un álbum plegable, como en este caso.

Utagawa Kunimasa III 三代歌川国政 (1823-1880)
Los actores Ichikawa Enjo como Tamaori-hime, Ichikawa Sumizō V como Hirayama
Mushadokoro, Ichikawa Danjūrō IX como Kumagai Naozane, Ichikawa Yonezō V
como Atsumori e Ichikawa Sadanji como Ishiya Midaroku (*Tamaori-hime, Ichikawa*
Enjo; Hirayama Mushadokoro, Ichikawa Sumizō; Kumagai Naozane, Ichikawa
Danjūrō; Atsumori, Ichikawa Yonezō; Ishiya Midaroku, Ichikawa Sadanji 玉織ひめ・市
川莚女、平山武者所・市川寿美蔵、熊谷直実・市川団十郎、あつ盛・市川米蔵、石屋弥陀
六・市川左団次), 1875 (d)

Utagawa Kunisada III 三代歌川国貞 (1848-1920)

A la caza de las hojas otoñales de Kagamiyama. Los actores Ichikawa Danjūrō como Oda Ōi, Ichikawa Sadanji como Ataka Gōemon y como Asao no Tsubone, Onoe Kikugorō como Ōtsuki Genzō y Nakamura Fukusuke como O-sada no kata (Kagamiyama momijigari. Oda Ōi, Ichikawa Danjūrō; Ataka Gōemon, Ichikawa Sadanji; Asao no Tsubone, Ichikawa Sadanji; Ōtsuki Genzō, Onoe Kikugorō; O-sada no kata, Nakamura Fukusuke 加賀見山紅葉狩。小田大炊・市川団十郎、安宅郷右衛門・市川左團次、浅尾の局・市川左團次、大月源蔵・尾上菊五郎、お貞の方・中村福助), 1889 (e)

Toyohara Kunichika 豊原国周
*Una pelea entre bomberos y luchadores de sumō en el santuario de Shiba Shinmei
(o La bendición de los dioses en una pelea armónica). Los actores Ichikawa Sadanji
como Mizuhiki Seigorō, también luchador de sumō Kuryūyama, Ichikawa Kodanji
como el bombero Chōjirō, Nakamura Shikan como el luchador Yotsuguruma
Daihachi, Onoe Kikugorō como el jefe de bomberos de Hamamatsuchō, Tatsugorō,
Onoe Matsusuke como el bombero Uemon, Bandō Kakitsu como el bombero
Fujimatsu, y Onoe Kōzō como el bombero Kunimatsu (Kami no megumi wagō*

no torikumi. Mizuhiki Seigorō koto Kuryūyama, Ichikawa Sadanji; Tobisha Chōjirō, Ichikawa Kodanji; Yotsuguruma Daihachi, Nakamura Shikan; Tobigata Hamamatsuchō Tatsugorō, Onoe Kikugorō; Tobisha Uemon, Onoe Matsusuke; Tobisha Fujimatsu, Bandō Kakitsu; Tobisha Kunimatsu, Onoe Kōzō 神明恵和合取 組。水引清五郎夏九龍山・市川左団治、鳶者長次郎・市川小団治・四ツ車大八・中村 芝翫、鳶方濱松丁辰五郎・尾上菊五郎、鳶者亀右エ門・尾上松助、鳶者富士松・坂東 家橘、鳶者国松・尾上幸蔵), *ca.* 1890 (c)

Toyohara Kunichika 豊原国周

*El estanque de la cascada con cara de flor. Los actores Ichikawa Kuzō como Kazama Hachirō, Nakamura
Fukusuke de Osaka como Hatsuhana, Ichikawa Danjūrō como Mongaku Shonin, Nakamura Fukusuke como
Terute-hime, Onoe Kikugorō como Ogata Jiraiya e Ichikawa Sadanji como Takabatake no Sakichi* (Hana no
kao sugata no taki-tsubo. Kazama Hachirō, Ichikawa Kuzō; Hatsuhana, Ōsaka Nakamura Fukusuke; Mongaku
Shonin, Ichikawa Danjūrō; Terute-hime, Nakamura Fukusuke; Ogata Jiraiya, Onoe Kikugorō; Takabatake no
Sakichi, Ichikawa Sadanji 花の顔姿の瀧壺。風間八郎・市川九蔵、初花・大阪中村福助、文覺上人・市川団十郎、照
手姫め・中村福助、尾形地雷也・尾上菊五郎、高畠の左吉・市川左團次), 1885 (a)

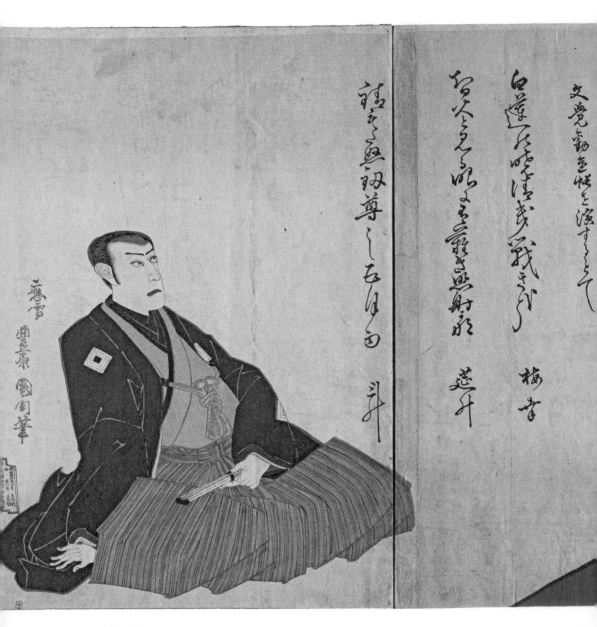

Toyohara Kunichika 豊原国周
Retrato poético del actor Ichikawa Danjūrō IX, 1889 (b)

Utagawa Kuniteru II 二代歌川国輝 (1830-1874)
Yoshitsune y los mil árboles de cerezo; cuarta escena, las montañas de Yoshino
(*Yoshitsune senbon zakura, yondanme no kiri, Yoshinoyama* 義経千本桜四段目ノ
切吉野山), 1867
Cat. 67
Ésta es una de las tres obras más famosas del teatro *kabuki* hoy día. Fue escrita
originalmente para el teatro de marionetas en el siglo XVIII, y está basada en
la caída de la casa de los Taira y el ascenso de los Minamoto, historias que se
reunieron en la épica japonesa *Los cuentos de Heike*, compilada alrededor
del siglo XIV.

21

De izquierda a derecha:
Utagawa Kunisada II 二代歌川国貞 (1823-1880)
Escena número 24, de la serie "Los ocho aspectos de Buda en imitaciones contemporáneas"
("Shaka hassō-ki imayō utsushi-e, nijūyon" 釈迦八相記今様写絵廿四), 1860
Cat. 64

Utagawa Kunisada II 二代歌川国貞
Escena número 25, de la serie "Los ocho aspectos de Buda en imitaciones contemporáneas"
("Shaka hassō-ki imayō utsushi-e, nijūgo" 釈迦八相記今様写絵廿五), 1860
Cat. 65

Utagawa Kunisada II 二代歌川国貞
Escena número 22, de la serie "Los ocho aspectos de Buda en imitaciones contemporáneas"
("Shaka hassō-ki imayō utsushi-e, nijūni" 釈迦八相記今様写絵廾二), 1860
Cat. 63

Estas tres estampas corresponden a una serie de cerca de 25 piezas que narran, a partir
de parodias del presente, ocho momentos importantes de la vida del Buda histórico
Shakyamuni. Sin embargo, en Japón, esos ocho momentos se entienden como
sinónimos de la vida de Buda, de ahí el número mayor de estampas en la serie.

Utagawa Kunisada I 歌川国貞, también conocido como Toyokuni III 三代豊国
Tobae no Masuroku (*Toba-e no Masuroku* 鳥羽絵ノ升六), 1860
Cat. 59
En esta imagen vemos al actor Nakamura Fukusuke I realizar la danza
Toba-e, creada por su antecesor, el actor Nakamura Shikan I. Esta danza
cómica formaba parte de una obra con nueve papeles interpretados por
el mismo actor, inspirados en las pinturas del monje Toba, y en la que los
objetos de la cocina cobran vida y toman forma de animales.

Páginas siguientes:
Utagawa Hiroshige 歌川広重
La isla Ganryū (*Ganryū-jima* 巌流島), de la serie "Ilustraciones de piedad filial
y de venganza" ("Chūkō adauchi zue" 忠孝仇討圖會), 1844
Cat. 52
Las estampas de guerreros (o *musha-e*) fueron de los últimos temas que se
incorporaron a la historia del *ukiyo-e*. Comenzaron a aparecer hacia fines
del siglo XVIII, pero no fue sino hasta la primera mitad del XIX y, sobre todo,
por cuenta de la popularidad de las novelas de aventuras, que tuvieron un
auge extraordinario a lo largo del país.

Utagawa Hiroshige 歌川広重
El cuento de Kameyama (*Kameyama banashi* 亀山咄), de la serie
"Ilustraciones de piedad filial y de venganza" ("Chūkō adauchi zue" 忠孝仇討
圖會), 1844
Cat. 49
En esta estampa se representa el duelo entre el famoso *rōnin* y espadachín
Miyamoto Musashi y Sasaki Kojirō, en el islote Ganryū, que separa las
islas Honshū de Kyūshū. Este duelo, que se considera fue una importante
victoria para Musashi, se supone que ocurrió en el año de 1612, cuando
el legendario espadachín tenía sólo veintinueve años.

一立齋廣重画

忠孝仇討圖會

東都芝神明前
若狹屋与市版

藤川水右衛門

石井兵助

一立齋廣重画

忠孝仇討圖會

東都芝神明前
若狹屋与市版

巌流嶋

柳下亭種員記

宮本無三四高重實父の讐八何者なるを
しらず諸國を尋ね歩く内肥後國阿蘓
嶽の山中にて盗賊等が勾當せしを
救ひ彼が家へ送りしに此夕父の物
がたりして歡ひ佐々木巌流と知りて
遂に本望を達しけり

宮本無三四

彫竹

Kitagawa Utamaro 喜多川歌麿
Concubina (Mekake 妾*), página del libro* Comentarios de costumbres femeninas
(*Onna fūzoku shinasadame* 女風俗品さだめ)*, ca.* 1790-1794
Cat. 12
Página de un libro ilustrado de pequeño formato que reúne diferentes tipos
de mujeres en situaciones comunes. La imagen representa a una amante o
concubina tocando el *shamisen* (instrumento de tres cuerdas). El tema de las
mujeres bellas (o *bijin-ga*) fue una de las temáticas más antiguas de la historia
de la estampa japonesa *ukiyo-e*.

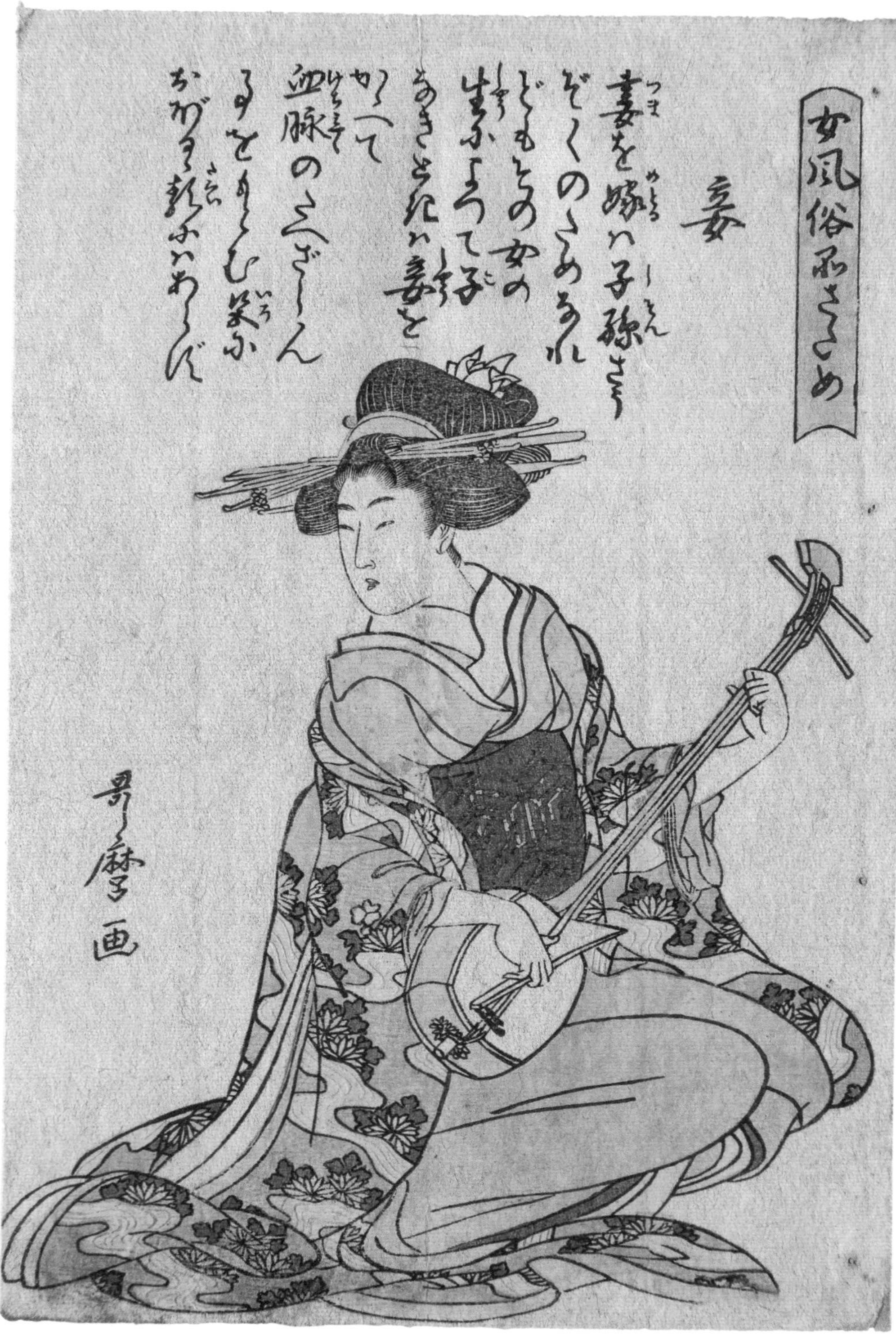

22

妻

女風俗ふぞさゝめ

妻を嫁へ子孫さ
ぞくのさめる
どもとの女の
生ふようてな
るきと礼い妻を
切して
血脈の三ぎーん
子をりとむ笑ふ
ちがう新ふいわんぐ

哥麿画

Utagawa Kunisada II 二代歌川国貞
Cerezos de la casa de Kuki en Naka-no-chō (*Kukirō naka-no-chō bun*
久喜楼仲の町分), 1864
Cat. 62
En esta imagen vemos un grupo de prostitutas de la casa Kuki en
una terraza contemplando los cerezos en flor de la calle central
del barrio de Yoshiwara. En el lenguaje popular del periodo Edo,
la palabra "flores de cerezo" también se utilizaba para referirse a
las prostitutas, quienes gozaban de un reconocimiento social muy
diferente al de la actualidad.

花鳥余合源氏

Utagawa Kunisada I 歌川国貞, también conocido como Toyokuni III 三代豊国
Flores y pájaros: Genji y acompañantes compartiendo un bote (*Hana ni tori noriai Genji* 花鳥乗合源氏), 1859
Cat. 57
Parodia basada en la novela de los *Cuentos de Genji* (*Genji monogatari*), donde vemos a un personaje masculino rodeado de mujeres, mientras contemplan los cerezos en flor desde una barca. El siglo XIX fue abundante en versiones y parodias literarias y visuales de las historias del príncipe Genji, como demuestra este *ukiyo-e*.

Página 230:
Utagawa Kunisada I 歌川国貞, también conocido como Toyokuni III 三代豊国
Número 1 (*Dai ichi* 第一), de la serie "Murasakis de Edo, comparación de figuras" ("Edo murasaki sugata kurabe" 江戸紫姿競), 1852
Cat. 58
A partir de la aparición de la novela seriada *La falsa Murasaki y el Genji de campo* (publicada entre 1829 y 1842), del escritor Ryūtei Tanehiko e ilustrada por el propio Kunisada, comenzaron a surgir un gran número de versiones en texto y en imagen. La estampa que vemos aquí es una de las tantas parodias que realizó Kunisada.

233

Página 231:
Utagawa Yoshimori 歌川芳盛 (1830-1884)
El orgullo de Edo, figuras contemporáneas (*Edo jiman imayō sugata* 江戸自慢今様姿), 1866
Cat. 69
Entre aquello que era considerado como "orgullo de Edo", las mujeres bellas ocupaban un espacio especial. En el caso del fragmento de tríptico que mostramos, además de las mujeres, vemos el cartel de *Suigetsurō*, el cual indica que se trataba de un restaurante o quizás una casa de citas famosa.

Utagawa Kuniyoshi 歌川国芳 (1798-1861)
Diversión en el jardín (*O-niwa asobi* 於にハあそび), 1851
Cat. 68
Se muestra aquí a un grupo de jóvenes, aparentemente adineradas,
que juegan a la orilla de un río. Estas representaciones de mujeres
en la estampa japonesa fueron de las principales fuentes para
los procesos de exotización y erotización que caracterizaron al
japonismo francés, del que se alimentó Tablada.

23

Toyohara Kunichika 豊原国周
La joven O-ume de Ishiya (*Ishiya musume O-ume* 石屋娘於梅), de la serie
"Abanicos abiertos de floridas palabras" ("*Kotoba no hana hiraku suehiro*" 詞花開
末広), 1867
Cat. 45
En esta imagen vemos a una joven tocando el arpa japonesa o *koto*. La
representación de mujeres bellas, a pes ar de ser uno de los temas más
antiguos, continuó hasta el final de la historia del *ukiyo-e*, cuando la fotografía
desplazó por completo a esta producción xilográfica. Por lo que marca el
título, es muy probable que esta joven haya sido una *geisha* de la casa Ishiya.

Páginas 238-241:
Utagawa Kunisada II 二代歌川国貞
Sekidera (*Sekidera* せきでら), de la serie "Siete Komachi y las diversiones de la
capital del este" ("*Nana Komachi Azuma fūzoku*" 七小町吾妻風俗), 1857
Cat. 66
Este fragmento de tríptico de mujeres bellas construye una parodia basada en
la conocida obra de teatro *noh*, titulada *Las siete Komachis*, supuestamente
sustentada en incidentes apócrifos de la vida de la poetisa Ono no Komachi.
Sin embargo, Kunisada II coloca en la imagen a mujeres comunes de la época
en situaciones ordinarias.

Shōsai Ikkei 昇斎一景 (activo en la segunda mitad del siglo XIX)
Teppōzu (*Teppōzu* 鉄砲洲), de la serie "Antología humorística de treinta y seis sitios
famosos de Tokio" ("*Tōkyō meisho sanjūroku gisen*" 東京名所三十六戯撰), 1872
Cat. 22
La zona de Teppōzu, en esa época cerca de la desembocadura del río Sumida,
era un sitio de peregrinación importante, sobre todo durante las festividades
dedicadas al Monte Fuji. En la estampa vemos la representación de un sitio
famoso del Tokio de entonces en una escena costumbrista y humorística de la
vida de la ciudad.

Toyohara Kunichika 豊原国周
Lluvia nocturna en los arrozales de Yoshiwara (*Yoshiwara tanbo no yoru no ame*
吉原たんぼの夜の雨), de la serie "Ocho vistas de Edo" ("*Edo hakkei no uchi*" 江戸八
景之内), 1867
Cat. 46
El barrio de prostitución de Yoshiwara estuvo ubicado en zonas cercanas
a campos de arroz hacia el norte de la ciudad de Edo. De hecho, uno de los
caminos más frecuentados fue construido atravesando los campos de arroz,
como se muestra en esta imagen. En ella vemos a una mujer portando, en
su mano, el sable de un samurái.

Toyohara Kunichika 豊原国周
La geisha Shun de Yanagibashi; Restaurante Manpachi-rō en Yanagibashi
(*Yanagibashi Shun; Yanagibashi Manpachi-rō* 柳はししゅん・柳はし萬八楼), de la
serie "Treinta y seis restaurantes de Tokio" ("*Tōkyō sanjūroku kaiseiki*" 東京三十六
会席), 1870
Cat. 44
El restaurante Manpachirō, uno de tantos que floreció en el periodo Edo en
la zona de Ryōgoku, fue particularmente famoso por ser un lugar donde se
reunían hombres de letras de la época, así como gran cantidad de geishas.
Fue, además, un punto de embarque junto al río para aquellos que se
encaminaban a Yoshiwara.

Toyohara Chikanobu 豊原周延 (1838-1912)
Ceremonia del té rodeada por flores (*Chanoyū mawaribana* 茶の湯回り花), de
la serie "Los recintos interiores del palacio de Chiyoda" ("Chiyoda no ōoku" 千代
田の大奥), 1895
Cat. 37
Chikanobu es quizás el artista de *ukiyo-e* más prolífico de la era Meiji (1868-
1912). Se dedicó no sólo a producir temas tradicionales como las mujeres
bellas o los actores del *kabuki*, sino también a ilustrar sucesos de actualidad
como la Rebelión de Satsuma (1877) o la guerra sino-japonesa (1894-1895).

Toyohara Chikanobu 豊原周延
Festival de Buda (*Shaka mōde* 釈迦もふで), de la serie "Los recintos interiores del palacio de Chiyoda" ("Chiyoda no ōoku" 千代田の大奥), 1896
Cat. 39
En los últimos años de su vida, Chikanobu realizó varias series de estampas, como la que se muestra aquí, donde mira con nostalgia al pasado shogunal. En ellas, muchas veces se concentra en los valores y costumbres que asociaba con ese pasado, como una reacción hacia los rápidos cambios que estaba viviendo el país.

249

Utagawa Hiroshige II 二代歌川広重
Procesión en el puente Nihonbashi de Edo (*Tōto Nihonbashi gyōretsu* 東都日本橋行烈), 1863
Cat. 55
En esta estampa se representa la salida de Edo de Tokugawa Iemochi, último *shogun* de la historia de Japón, en un viaje que realizó a la entonces capital, Kioto, para reunirse con el emperador. Es un viaje que además marcó la etapa final del gobierno shogunal en Japón. El *ukiyo-e* de estos años también funcionó como un medio de información popular.

251

252

Toyohara Chikanobu 豊原周延
Desfile militar en celebración de las bodas de plata del emperador Meiji
(*Ginkon taiten kanpeishiki* 銀婚大典観兵式), 1894
Cat. 38
El Japón que encontró y vivió Tablada era muy distinto de las imágenes
nostálgicas de Edo o de lo que los libros y las estampas japonesas que
él conocía representaban. A diferencia de etapas anteriores, el nuevo
emperador comenzaba a aparecer en público frecuentemente, vestido
con ropa militar de corte europeo, como advertimos en este *ukiyo-e*.

銀婚大典観兵式

253

Utagawa Hiroshige III 三代歌川広重 (1842-1894)
Imagen del ferrocarril de vapor en la playa de Takanawa en Tokio (*Tōkyō Takanawa kaigan jōkisha tetsudō-zu* 東京高輪海岸蒸気車鉄道図), 1871
Cat. 56
Aquí vemos el ferrocarril que enlazaba la ciudad de Yokohama con Tokio, y al que Tablada se refirió en alguna de sus crónicas. Era éste un Japón concentrado en la construcción de un Estado moderno donde, en un corto periodo, se sucedieron cambios de gran magnitud que afectaron de diversa manera la vida de la población.

255

Utagawa (Baidō) Kokunimasa 歌川（梅堂）小国政
Campaña a Siberia del comandante de Fukushima (Fukushima shōsa Shiberia ensei no zu 福島少佐西比利亜遠征之圖), 1893
Cat. 47

Hacia fines del siglo XIX, los temas vinculados con la guerra o con el crecimiento económico del país se volvieron comunes. Este aspecto de la estampa como medio informativo visual, si bien no era nuevo, sí alcanzó niveles que no encontramos en etapas previas. En muchas ocasiones imágenes de este tipo eran impresas como complemento de la prensa.

福島中佐西比里亞遠征之圖

小圓繁畫

257

Harada Kōkyo 原田耕挙 (1863-1925)
Reporte ilustrado del estado de la guerra ruso-japonesa
(*Nichiro senkyō gahō* 日露戦況画報), 1904
Cat. 10
La guerra ruso-japonesa (1904-1905) fue uno de esos
acontecimientos altamente publicitados en el país.
Fue este el primer encuentro bélico de importancia
entre una potencia occidental y Japón, que estrenó su
nueva maquinaria militar y resultó victorioso. Muchos
ilustradores de *ukiyo-e* representaron este conflicto.

Páginas siguientes:
Ōkura Kōtō 大倉耕濤 (¿?-1910)
Estampa Núm. 7 (Sono shichi 其七), de la serie
"Imágenes de la guerra ruso-japonesa" ("*Nichiro kōsen zue*"
日露交戦圖繪), 1904
Cat. 19
El uso del *ukiyo-e* como medio informativo visual
contribuyó también a su desaparición. Desde mediados
del siglo xix, la fotografía había comenzado a imponerse
y resultó ser un medio más económico e inmediato
que la estampa. Hacia la tercera década del siglo xx,
prácticamente no quedaban ya talleres de gráfica activos.

鴨緑江右岸ヨリ支那六
漁舟ふ乗ー斗流浦ニ来
る敵兵を發見したり我
軍水陸共カーて之と射
撃ー雜ふく撃退せり

明治三十年三月廿五日印刷
發 三月廿九日發行
東京市日本橋區本町三丁目
印刷兼發行者
松本平吉

日露交戦

寒威凛烈雪後
ケ月シテ我軍
或方面ヘ急進ス
露軍既ニ前進
スルモ我勢威ニ
再ビ驚迹セル蓋

Watanabe Shōtei 渡辺省亭**, también conocido como Seitei**
Sin título, fines del siglo XIX
Cat. 73
En el arte japonés, en cuanto al aspecto temático, las
imágenes que combinan animales y plantas se denominan
genéricamente como "de pájaros y flores" (*kachō-ga*). Éste
es un tema que se importa desde la pintura china, pero que
se incorpora a la gráfica también a principios del siglo XIX.

Página derecha:
Hirose Chikuseki 広瀬竹石 **(activo a principios del siglo XX)**
Sin título, *ca.* 1920
Cat. 11
A partir de la segunda mitad del siglo XIX, el *ukiyo-e*
comenzó a compartir espacios con otras técnicas, tanto
en la pintura como en la gráfica. Muchas de estas nuevas
técnicas, que fueron introducidas desde Europa, alteraron el
panorama artístico del país. A pesar de ser una xilografía, en
esta obra se tratan de imitar las características de la pintura.

Páginas siguientes:
Ohara Koson 小原古邨 (1877-1945)
Cuervo en la nieve (Secchū karasu 雪中烏*), ca.* 1910
Cat. 17

Ohara Koson 小原古邨
Grullas de cresta roja (Tanchō Tsuru 丹頂鶴*), ca.* 1910
Cat. 18

Ohara Koson es considerado uno de los más importantes
pintores y diseñadores de estampas con el tema de "pájaros
y flores" del siglo XX. Estuvo asociado con el movimiento del
Nuevo Grabado (*Shin-hanga*), corriente neo-tradicionalista que
intentó mantener viejos temas japoneses, pero incorporando
importaciones formales de Europa. A lo largo de su vida, Koson
hizo numerosas versiones de la imagen del cuervo sobre una
rama de árbol. En ésta es interesante apreciar el ejercicio del
claroscuro logrado por el contraste de la nieve sobre la rama.
En la pintura o estampa japonesa previa al siglo XIX, es muy raro
encontrar este recurso.

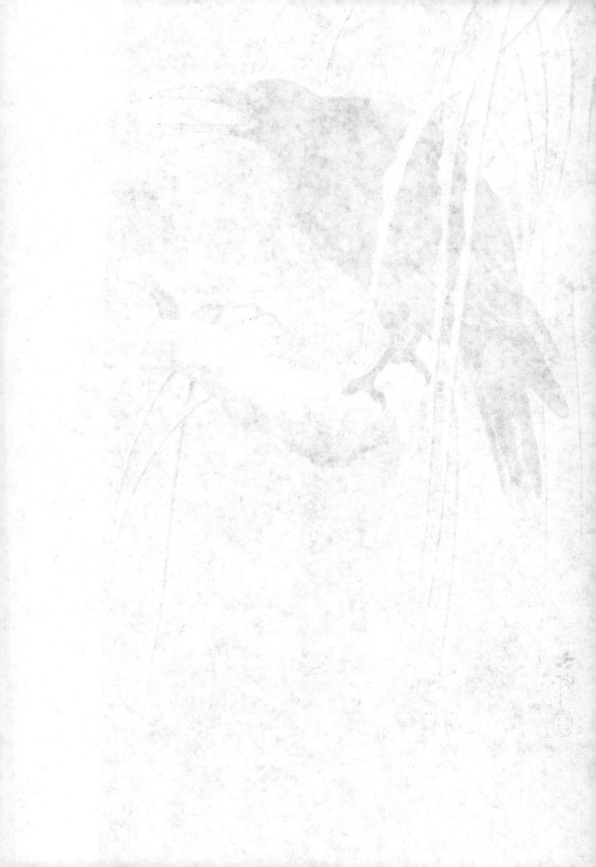

"JAPONISMO" MEXICANO

Diego Rivera (1886-1957)
Naturaleza muerta con estampa japonesa, 1909
Fig. 30
En esta obra temprana de Diego Rivera, producida en París,
destaca su visión vanguardista en el contraste radical que
establece entre la portentosa ola de Hokusai y la naturaleza
muerta que la contiene, toda vez que ilustra el enorme
impacto del *ukiyo-e* en la conciencia del arte moderno
que rompió con la tradición académica.

Katsushika Hokusai 葛飾北斎
Bajo la ola en las afueras de Kanagawa (*Kanagawa oki nami ura* 神奈川沖浪裏), de
la serie "Las treinta y seis vistas del monte Fuji" ("*Fugaku sanjūrokkei*" 富嶽三十六景),
ca. 1830-1832
Fig. 13
Ésta es, quizás, la obra visual de Japón mundialmente más conocida, así como
también la más reproducida en cuanto libro sobre *ukiyo-e*, o sobre arte japonés,
se ha impreso. Es lógico entonces que haya sido incorporada al imaginario
japonista de fines del siglo xix y primera mitad del siglo xx.

José Clemente Orozco
La carta, 1914
Cat. 20
En noviembre de 1913, Tablada quedó profundamente
cautivado por las representaciones femeninas de José
Clemente Orozco. Ningún mexicano se había ocupado,
hasta entonces, de sensuales colegialas ni de Circes
de arrabales. Lo relacionó con Utamaro, Hokusai y con
Toulouse-Lautrec, pensando también en lo que de japonés
había en él.

Kitagawa Utamaro 喜多川歌麿
Estampa sin título, del álbum erótico *Los hilos del deseo*
(*Negai no itoguchi* ねがいの糸口), 1799
Fig. 19
Aunque desconocemos con cuáles estampas eróticas
japonesas tuvieron contacto los pintores mexicanos de
principios del siglo xx, Tablada (recordando a De Goncourt
y también la exposición de Utamaro que vio en París)
menciona el caso de este artista japonés. Este álbum de
Utamaro es uno de sus tres grandes conjuntos eróticos.

Jorge Torres Palomar (1905-1961)
Kalograma, 1921
Cat. 35

José Torres Palomar (1875-1921)
Kalograma, s.f.
Cat. 36
Kalograma significa "letras bellas", pero la
intención de Torres Palomar en estos motivos
era conferirles, además de atractivo, un sentido.
A manera de caricaturista, tomaba alguna
característica de la persona que le solicitaba un
kalograma para inspirarse. Parten de los sellos
de firma chino-japoneses, pero suponen una
evolución con respecto a ellos.

Rafael Ponce de León (1884-1909)
La cartomanciana, 1907
Cat. 21

Este artista, de corta existencia, fue de los preferidos
de Tablada. Admiraba en él la fuerza de su caricatura
y atributos que asimiló muy bien de europeos como
Théophile-Alexandre Steinlen y, sobre todo, Henri de
Toulouse-Lautrec. Ambos firmaron con monogramas
japoneses muchas obras, y Ponce de León, también.

274

Jorge Enciso (1879-1969)
Paisaje con figuras, 1910
Cat. 8
Tablada ve en los lienzos, papeles y decoraciones murales
de Jorge Enciso cómo se acercaba a lo que los japoneses
realizaban en los *meisho* o guías ilustradas de lugares
famosos, que para el poeta eran un referente a seguir.

Katsushika Hokusai 葛飾北斎
Viento del sur, cielo despejado (*Gaifū kaisei* 凱風快晴), de la serie "Las treinta y seis vistas del monte Fuji" ("Fugaku sanjūrokkei" 富嶽三十六景), *ca.* 1830-1832
Fig. 18
"El Fuji rojo", como también se le conoce a esta obra, es otra de las más famosas imágenes realizadas por Hokusai. Tablada siempre tuvo una gran admiración por este pintor e ilustrador japonés de principios del siglo XIX, en gran parte motivada por el profuso entusiasmo que por él tuvieron los escritores y artistas franceses decimonónicos.

Página izquierda:
Jorge Enciso
Volcán de Colima, 1910
Cat. 9
Tablada consideró a Jorge Enciso el más japonés de los artistas mexicanos, por su fina sensibilidad, capacidad de plasmar aspectos "crepusculares y nocturnos de la naturaleza patria", así como el entorno natural, cultural e histórico, desde una visión plenamente moderna. Esta obra acusa una clara influencia de Hokusai.

Gerardo Murillo, Dr. Atl
Sin título, *ca.* 1930
Cat. 13
En los esténciles que se muestran en esta sección, Atl maneja una figuración reconocible pero no obvia y un colorido idealizado, heráldico diría Herbert Read, más bien plano y luminoso, sin tonos. El resultado es decorativo, en el mejor sentido. Entran en juego, en colaboración, el modelo y la subjetividad del artista. La sugerencia japonesa es evidente.

Katsushika Hokusai 葛飾北斎
Señorío de Umezawa en la provincia de Sagami (*Sōshū Umezawa zai*
相州梅沢左), de la serie "Las treinta y seis vistas del monte Fuji" ("Fugaku
sanjūrokkei" 富嶽三十六景), *ca.* 1830-1832
Fig. 17

Página derecha:
Gerardo Murillo, Dr. Atl
Sin título, ca. 1930
Cat. 15

Gerardo Murillo, Dr. Atl
Volcán, 1945
Cat. 16
Tablada comparó al Dr. Atl con el paisajista Tani Bunchō, quien era de
sus preferidos y sobre quien se refirió en su libro *Hiroshigué...* como
uno de los últimos cultivadores del canon chino. Esta representación
casi abstracta, monocroma, contornos muy marcados y atmósfera
intensa, pudo muy bien conmover a José Juan Tablada, quien más
allá de la animadversión que en muchos momentos lo separó de
Atl, en el fondo lo admiraba. Le dedicó páginas maestras a sus largas
estancias en las montañas.

Gerardo Murillo, Dr. Atl
Sin título, *ca.* 1930
Cat. 14
Como discípulo de Félix Bernardelli, en Guadalajara,
y como artista curtido en varios países de Europa,
Atl sabía mucho de paisaje japonés. En este esténcil
se aprecia cierta cercanía en la estilización tan
lograda de la forma y en el colorido parco con las
imágenes de volcanes que también encontramos
en la estampa japonesa.

Página derecha:
Katsushika Hokusai 葛飾北斎
Reflejo sobre el lago en Misaka, provincia de Kai (*Kōshū Misaka
suimen* 甲州三坂水面), de la serie "Las treinta y seis vistas del
monte Fuji" ("Fugaku sanjūrokkei" 富嶽三十六景), *ca.* 1830-1832
Fig. 16

Katsushika Hokusai 葛飾北斎
*El puente colgante sobre las nubes del monte Gyōdō, cerca de
Ashikaga* (*Ashikaga Gyōdōzan kumo no kakehashi* 足利行道山く
ものかけはし), de la serie "Imponentes vistas de puentes famosos
en varias provincias" ("Shokoku meikyō kiran" 諸国名橋奇覧),
ca. 1834
Fig. 14
Otra de las estampas de la conocida serie de Hokusai. A
pesar de que no sabemos si el Dr. Atl, u otro de los pintores
mexicanos de principios del siglo xx, estuvo en contacto
directo con esta imagen, la colocamos aquí como una
sugerencia del tipo de paisaje sobre el cual Tablada insistía
que debía estructurarse al paisaje nacional mexicano. Es
bien sabido, además de que se registra en su diario, que
Tablada se reunía muy frecuentemente con jóvenes pintores
mexicanos para ver y comentar arte nipón, haciendo uso de
sus estampas y libros ilustrados japoneses.

APÉNDICE

LISTA DE OBRA

Autor no identificado
1 *José Juan Tablada, ca.* 1925
Plata / gelatina
17.8 x 12.8 cm
Colección Carlos Monsiváis / Museo del Estanquillo

2 *José Juan Tablada en su estudio*, s.f.
Plata / gelatina virada al sepia
12.3 x 13.6 cm
Colección Archivo Gráfico José Juan Tablada, Biblioteca
Rubén Bonifaz Nuño. Instituto de Investigaciones
Filológicas, UNAM

Autor no identificado, basado en la obra de Tōshūsai Sharaku 東洲斎写楽 (activo 1794-1795)
3 *El actor Ichikawa Ebizō en el papel de Takemura Sadanoshin*, siglo XX
Xilografía policroma (reproducción a menor escala)
13.9 x 9.5 cm
Colección Biblioteca Nacional de México, UNAM

Nina Cabrera de Tablada [Eulalia Cabrera Douval] (1895-¿?)
4 *Retrato de actor de kabuki*, s.f.
Lápiz sobre papel
12.4 x 18.4 cm
Colección Archivo Gráfico José Juan Tablada, Biblioteca
Rubén Bonifaz Nuño. Instituto de Investigaciones
Filológicas, UNAM

5 *Retrato de actor de teatro kabuki*, s.f.
Lápiz sobre papel
11.2 x 18.5 cm
Colección Archivo Gráfico José Juan Tablada, Biblioteca
Rubén Bonifaz Nuño. Instituto de Investigaciones
Filológicas, UNAM

Miguel Covarrubias (1904-1957)
6 *Caricatura de José Juan Tablada*, s.f.
Tinta sobre papel marquilla
24.7 x 13 cm
Colección Archivo Gráfico José Juan Tablada, Biblioteca
Rubén Bonifaz Nuño. Instituto de Investigaciones
Filológicas, UNAM

7 *José Juan Tablada*, s.f.
Tinta sobre papel
34.3 x 23.5 cm
Colección Carlos Monsiváis / Museo del Estanquillo

Jorge Enciso (1879-1969)
8 *Paisaje con figuras*, 1910
Óleo sobre tela
28.5 x 54.5 cm
Colección Pueblo de Jalisco / Instituto Cultural Cabañas

9 *Volcán de Colima*, 1910
Pastel sobre papel
51.5 x 64.5 cm
Museo Claudio Jiménez Vizcarra

Harada Kōkyo 原田耕挙 (1863-1925)
Prácticamente no se cuenta con información acerca de
este artista. Es conocido sobre todo por algunas estampas
que produjo sobre la guerra ruso-japonesa (1904-1905).

10 *Reporte ilustrado del estado de la guerra ruso-japonesa*
(*Nichiro senkyō gahō* 日露戦況画報), 1904
Editor: Matsuki Heikichi 松木平吉
Xilografía policroma *ukiyo-e*
25.5 x 38.6 cm
Colección Biblioteca Nacional de México, UNAM

Hirose Chikuseki 広瀬竹石 (activo a principios del siglo XX)

Lo poco que se conoce de este artista es su producción de grabados al estilo de la escuela de pintura neo-tradicionalista *Nihon-ga* 日本画, en el género de pájaros y flores. A pesar de lo que indica el nombre de esta temática, en ocasiones también aparecía la contraposición de un animal y una planta.

11 Sin título, *ca.* 1920
Editor: Matsuki Heikichi 松木平吉
Xilografía policroma *ukiyo-e*
25 x 24 cm
Colección Biblioteca Nacional de México, UNAM

Kitagawa Utamaro 喜多川歌麿 (1753-1806)

Pintor, diseñador de estampas e ilustrador de libros, es uno de los artistas más productivos del siglo XVIII. Es también el más conocido de la así llamada "edad de oro" de la estampa japonesa, sobre todo por sus diseños de mujeres bellas (*bijin-ga* 美人画), uno de los temas genésicos del *ukiyo-e*. Discípulo de Toriyama Sekien 鳥山石燕 (1712-1788), hacia la década de 1870 estableció una alianza con el conocido editor Tsutaya Jūzaburō 蔦屋重三郎 (1750-1797), junto a quien produjo varias de las obras y libros de mayor peso para la historia del *ukiyo-e*. Su éxito con las estampas de mujeres bellas influyó profundamente en la manera en que tanto contemporáneos como seguidores enfrentaron el género. En 1804 sufrió de prisión domiciliaria por burlar la censura del gobierno shogunal.

12 *Concubina* (*Mekake* 妾), página del libro *Comentarios de costumbres femeninas* (*Onna fūzoku shinasadame* 女風俗品さだめ), *ca.* 1790-1794
Xilografía policroma *ukiyo-e*
19.2 x 12.5 cm
Colección Biblioteca Nacional de México, UNAM

Gerardo Murillo, Dr. Atl (1875-1964)

13 Sin título, *ca.* 1930
Esténcil
20.6 x 26 cm
Colección Librerías A través de los siglos
Mercurio López Casillas

14 Sin título, *ca.* 1930
Esténcil
24 x 26 cm
Colección Librerías A través de los siglos
Mercurio López Casillas

15 Sin título, *ca.* 1930
Esténcil
22.5 x 27 cm
Colección Librerías A través de los siglos
Mercurio López Casillas

16 *Volcán,* 1945
Esténcil
22 x 26 cm
Colección Andrés Blaisten

Ohara Koson 小原古邨 (1877-1945)

Discípulo del pintor Suzuki Kason 鈴木華邨 (1860-1919), se convirtió en uno de los más importantes y prolíficos artistas del estilo de pájaros y flores (*kachō-ga* 花鳥画) en la primera mitad del siglo XX. En esa época diseñó cientos de estampas para las casas editoriales de Akiyama Buemon 秋山武右衛門 y de Watanabe Shōzaburō 渡辺庄三郎. Su estilo se alimentó mucho más de la escuela de pintura Maruyama-Shijō 円山四条 de Kioto, de donde provenía su maestro, que del tipo de obra que realizaban los ilustradores de *ukiyo-e* contemporáneos suyos.

17 *Cuervo en la nieve* (*Secchū karasu* 雪中烏), *ca.* 1910
Xilografía policroma *ukiyo-e*
34.5 x 19 cm
Colección Biblioteca Nacional de México, UNAM

18 *Grullas de cresta roja* (*Tanchō Tsuru* 丹頂鶴), *ca.* 1910
Xilografía policroma *ukiyo-e*
36.5 x 19 cm
Colección Biblioteca Nacional de México, UNAM

Ōkura Kōtō 大倉耕濤 (¿?-1910)

Pintor e ilustrador de *ukiyo-e* de fines del siglo XIX; fue discípulo del pintor Ogata Gekkō 尾形月耕. Su padre, Ōkura Hanbei 大倉半兵衛, fue un conocido escultor. Ōkura Kōtō se dedicó sobre todo a los temas de las mujeres bellas y a las estampas de guerra, por las que fue más conocido. En 1894 ganó el segundo lugar del concurso de la Asociación de Jóvenes Pintores de Japón. Produjo un número importante de estampas con el tema de la guerra ruso-japonesa.

19 *Estampa Núm. 7* (*Sono shichi* 其七), de la serie "Imágenes de la guerra ruso-japonesa" ("Nichiro kōsen zue" 日露交戦圖繪), 1904
Editor: Hasegawa Sonokichi 長谷川園吉
Xilografía policroma *ukiyo-e*
27 x 38 cm
Colección Biblioteca Nacional de México, UNAM

José Clemente Orozco (1883-1949)

20 *La carta*, 1914
Tinta sobre papel
22 x 38 cm
Museo de Arte Carrillo Gil, INBAL

Rafael Ponce de León (1884-1909)

21 *La cartomanciana*, 1907
Gouache y tinta sobre papel
43 x 59 cm
Museo Regional de Guadalajara, INAH

Shōsai Ikkei 昇斎一景 (activo en la segunda mitad del siglo XIX)

Ilustrador de estampas *ukiyo-e*, fue discípulo de Hiroshige III. Produjo imágenes de lugares famosos de una ciudad de Tokio, que se encontraba cambiando radicalmente a causa de los rápidos procesos de modernización a los que se abocó el país en la segunda mitad del siglo XIX.

22 *Teppōzu* (*Teppōzu* 鉄砲洲), de la serie "Antología
humorística de treinta y seis sitios famosos de Tokio"
("Tōkyō meisho sanjūroku gisen" 東京名所三十六戯撰),
1872
Editor: Yorozuya Magobei 万屋孫兵衞
Xilografía policroma *ukiyo-e*
33.2 x 23 cm
Colección Biblioteca Nacional de México, UNAM

José Juan Tablada (1871-1945)
23 *Catálogo de pintores japoneses. Sus obras en mi
colección y literatura sobre ellos*, núm. 2, s.f.
Mixta
23 x 18.5 cm
Colección Esther Hernández Palacios

24 Cuaderno que incluye varios dibujos de tema japonés
[Carpeta V con 107 obras plásticas], *ca.* 1892-1914
Acuarela, tinta y pintura sobre papel
12.7 x 14.7 cm
Colección Archivo Gráfico José Juan Tablada, Biblioteca
Rubén Bonifaz Nuño. Instituto de Investigaciones
Filológicas, UNAM

a) *Tokugava Yeyas*
Acuarela, tinta y pintura dorada sobre cartoncillo
12.7 x 14.9 cm
b) *Desfile de personajes*
Tinta sobre cartoncillo
34.9 x 14.9 cm
c) *De un biombo de la antigua escuela Kano*, 1893
Acuarela, tinta y lápiz sobre papel bond
21.9 x 14.9 cm
d) *Estudios para un abanico*
Acuarela, tinta y pintura dorada sobre papel bond
23.8 x 14 cm
e) *Figuras japonesas*
Tinta, lápiz y acuarela sobre papel bond
21.3 x 14.6 cm
f) *Linterna japonesa*
Acuarela sobre cartoncillo
8.2 x 10.8 cm
g) *Daruma*
Acuarela, tinta y pintura dorada sobre papel bond
10.5 x 10.8 cm
h) *Cazador*
Acuarela, tinta y pintura dorada y plateada sobre papel bond
11 x 15.5 cm
i) *Kosunoke Mashashige*, 1894
Tinta sobre papel bond
11. 4 x 16.2
j) *Tai-ko-bo*
Acuarela, tinta y pintura dorada sobre papel bond
6.3 x 8.9 cm
k) *Anciano japonés*
Tinta sobre papel bond
6 x 6.6 cm
l) *Desfile de personajes japoneses*, 1895
Acuarela, tinta y lápiz sobre papel bond
18.4 x 9.2 cm
m) *Hombre junto a una fogata*, 1895
Tinta sobre papel bond
11.4 x 8.9 cm

n) *Garza*, 1895
Tinta sobre papel
9.8 x 14.6 cm
ñ) *Hombre leyendo*
Tinta sobre papel bond
9.5 x 8.2 cm
o) *Príncipe japonés*, 1895
Tinta sobre papel fabriano
8. 2 x 5.4 cm
p) *Noble japonés*, 1895
Tinta sobre papel fabriano
6 x 6.6 cm

25 *Cuaderno de recortes*, s.f.
Recortes y tinta sobre papel
16 x 25 cm
Colección Esther Hernández Palacios
*No ilustrado

26 *En el país del sol*, 1900
Lápiz sobre papel cebolla
15 x 20.3 cm
Colección Archivo Gráfico José Juan Tablada, Biblioteca
Rubén Bonifaz Nuño. Instituto de Investigaciones
Filológicas, UNAM

27 *Koro: Pebetero del culto budista*, 1900
Lápiz y acuarela sobre papel
22.8 x 13 cm
Colección Archivo Gráfico José Juan Tablada, Biblioteca
Rubén Bonifaz Nuño. Instituto de Investigaciones
Filológicas, UNAM

28 *Los templos de la Shiba. Un entierro en el Japón.
Cha-no-yu*, s.f.
Lápiz sobre papel cebolla
15 x 20.3 cm
Colección Archivo Gráfico José Juan Tablada, Biblioteca
Rubén Bonifaz Nuño. Instituto de Investigaciones
Filológicas, UNAM

29 *Oncidium tigrinum*, 1914
Acuarela y tinta sobre cartoncillo
14.9 x 22.2 cm
Colección Archivo Gráfico José Juan Tablada, Biblioteca
Rubén Bonifaz Nuño. Instituto de Investigaciones
Filológicas, UNAM

30 *Programa de mano de un teatro japonés*, s.f.
Lápiz sobre papel cebolla
27.6 x 21.2 cm
Colección Archivo Gráfico José Juan Tablada, Biblioteca
Rubén Bonifaz Nuño. Instituto de Investigaciones
Filológicas, UNAM

31 *Puerta del jardín de thé en Golden Gate Park*, 1900
Acuarela sobre papel
15.25 x 16.5 cm
Colección Archivo Gráfico José Juan Tablada, Biblioteca
Rubén Bonifaz Nuño. Instituto de Investigaciones
Filológicas, UNAM

32 *Saltamontes*, 1938
Lápiz de color y grafito sobre papel
16.5 x 20.9 cm
Colección Archivo Gráfico José Juan Tablada, Biblioteca
Rubén Bonifaz Nuño. Instituto de Investigaciones
Filológicas, UNAM

33 *Un día... Poemas sintéticos*, 1919
Manuscrito
22 x 14.5 cm
Colección Fondo González de Mendoza, Biblioteca
Rubén Bonifaz Nuño. Instituto de Investigaciones
Filológicas, UNAM

34 *Yokohama, entre Motomachi y el Gran Canal*, 1900
Acuarela sobre papel
22.8 x 15.2 cm
Colección Archivo Gráfico José Juan Tablada, Biblioteca
Rubén Bonifaz Nuño. Instituto de Investigaciones
Filológicas, UNAM

Jorge Torres Palomar (1905-1961)

35 *Kalograma*, 1921
Tinta sobre papel
27.1 x 19.02 cm
Colección Sergio Nieto Torres-Palomar

José Torres Palomar (1875-1921)

36 *Kalograma*, s.f.
Tinta sobre papel
11.5 x 9.2 cm
Colección Sergio Nieto Torres-Palomar

Toyohara Chikanobu 豊原周延 (1838-1912)
Pintor e ilustrador de estampas *ukiyo-e*. También
conocido como Yōshū 揚州 o Hashimoto 橋本
Chikanobu, fue discípulo de Kunichika. Nacido en el seno
de una familia samurái, cultivó la pintura en la escuela
Kanō 狩野派 y emigró posteriormente a Edo, donde
estudió con ilustradores de la escuela Utagawa, como
Kuniyoshi, Kunisada y Kunichika. Hacia la década de 1880
se concentró en temas vinculados a usos y costumbres,
así como en trípticos de miembros de la corte imperial. Se
le reconoce además por sus estampas de mujeres bellas,
pero incursionó también con ilustraciones de la guerra
sino-japonesa (1894-1895) y algunas estampas de actores
del teatro *kabuki* (*yakusha-e* 役者絵).

37 *Ceremonia del té rodeada por flores* (*Chanoyū
mawaribana* 茶の湯回り花), de la serie "Los recintos
interiores del palacio de Chiyoda" ("Chiyoda no ōoku"
千代田の大奥), 1895
Editor: Fukuda Hatsujirō 福田初次郎
Xilografía policroma *ukiyo-e* (tríptico)
38.7 x 75 cm
Colección Biblioteca Nacional de México, UNAM

38 *Desfile militar en celebración de las bodas de plata del
emperador Meiji* (*Ginkon taiten kanpeishiki* 銀婚大典観兵
式), 1894
Editor: (Ilegible)
Xilografía policroma *ukiyo-e* (tríptico)
37 x 72.5 cm
Colección Biblioteca Nacional de México, UNAM

39 *Festival de Buda* (*Shaka mōde* 釈迦もうで), de la serie "Los
recintos interiores del palacio de Chiyoda" ("Chiyoda no
ōoku" 千代田の大奥), 1896
Editor: Fukuda Hatsujirō 福田初次郎
Xilografía policroma *ukiyo-e* (tríptico)
38 x 75 cm
Colección Biblioteca Nacional de México, UNAM

Toyohara Kunichika 豊原国周 (1835-1900)
Diseñador de estampas *ukiyo-e*. Hijo de un dueño de
baños públicos, desde muy joven estudió en el taller
de Utagawa Kunisada, donde durante algún tiempo
produjo ilustraciones para libros. Su producción se
concentra en estampas de actores del teatro *kabuki*,
aunque también incursionó en otros temas del *ukiyo-e*.
Fue muy famoso por sus series de retratos de actores
con rostros muy expresivos, así como de trípticos de lujo
donde representaba algunos de los actores del *kabuki*
más notorios del momento. La popularidad de su obra
competía con la de otros artistas reputados de la segunda
mitad del siglo XIX.

40 *El actor Ichikawa Danjūrō en el papel de Ōkubo
Hikozaemon* (*Ōkubo Hikozaemon, Ichikawa Danjūrō* 大久
保彦左エ門・市川団十郎), 1893
Xilografía policroma *ukiyo-e* (fragmento de tríptico)
38 x 25.5 cm
Colección Biblioteca Nacional de México, UNAM

41 *El actor Nakamura Shikan como Ishikawa Goemon*
(*Ishikawa Goemon, Nakamura Shikan* 石川五右エ門・中村
芝翫), 1859
Editor: Tsunajima Kamekichi 綱島亀吉
Grabador: Katada Chōjirō 片田長次郎
Xilografía policroma *ukiyo-e*
36 x 24.5 cm
Colección Biblioteca Nacional de México, UNAM

42 *El actor Nakamura Shikan como Masaki Gennojō*
(*Masaki Gennojō, Nakamura Shikan* 正木源之丞・中村芝
翫), *ca.* 1865
Editor: Tamamizuya Gyokubundō 球水屋玉文堂
Xilografía policroma *ukiyo-e*
35.5 x 24 cm
Colección Biblioteca Nacional de México, UNAM

43 *El actor Sawamura Tosshō en el papel de Fukuoka
Mitsugu* (*Fukuoka Mitsugu, Sawamura Tosshō* 福岡貢・澤
村訥升), *ca.* 1860
Editor: Tsunajima Kamekichi 綱島亀吉
Grabador: Katada Chōjirō 片田長次郎
Xilografía policroma *ukiyo-e*
36.5 x 24.5 cm
Colección Biblioteca Nacional de México, UNAM

44 *La geisha Shun de Yanagibashi; Restaurante Manpachi-
rō en Yanagibashi* (*Yanagibashi Shun; Yanagibashi
Manpachi-rō* 柳はししゅん・柳はし萬八楼), de la serie
"Treinta y seis restaurantes de Tokio" ("Tōkyō sanjūroku
kaiseki" 東京三十六会席), 1870
Editor: Yorozuya Magobei 万屋孫兵衛
Xilografía policroma *ukiyo-e*
36.2 x 24.5 cm
Colección Biblioteca Nacional de México, UNAM

45 *La joven O-ume de Ishiya* (*Ishiya musume O-ume* 石屋娘於梅), de la serie "Abanicos abiertos de floridas palabras" ("Kotoba no hana hiraku suehiro" 詞花開末広), 1867
Editor: Kagaya Kichiemon 加賀屋吉右衛門
Grabador: Endō Teikichi 遠藤定吉
Xilografía policroma *ukiyo-e*
36.2 x 25.5 cm
Colección Biblioteca Nacional de México, UNAM

46 *Lluvia nocturna en los arrozales de Yoshiwara* (*Yoshiwara tanbo no yoru no ame* 吉原たんぼの夜の雨), de la serie "Ocho vistas de Edo" ("Edo hakkei no uchi" 江戸八景之内), 1867
Editor: Kiya Sōjirō 木屋宗次郎
Xilografía policroma *ukiyo-e* (fragmento de tríptico)
36.5 x 24.5 cm
Colección Biblioteca Nacional de México, UNAM

Utagawa (Baidō) Kokunimasa 歌川(梅堂)小国政 (1874-1944)
Diseñador de estampas *ukiyo-e*, activo en la ciudad de Tokio. Hijo de Utagawa Kunimasa IV, fue conocido por sus estampas de actores del teatro *kabuki*, así como por juegos de mesa ilustrados. Es hoy también reconocido por ilustrar eventos de la historia moderna de Japón, como la guerra sino-japonesa (1894-1895), la guerra ruso-japonesa (1904-1905), y el tsunami que, en junio de 1896, golpeó la costa noreste de Japón.

47 *Campaña a Siberia del comandante de Fukushima* (*Fukushima shōsa Shiberia ensei no zu* 福島少佐西比利亜遠征之圖), 1893
Editor: Fukuda Kumajirō 福田熊次郎
Xilografía policroma *ukiyo-e* (tríptico)
37 x 73.5 cm
Colección Biblioteca Nacional de México, UNAM

48 *Obra de kyōgen de marzo para el teatro Kabukiza – Escena frente al santuario Tsurugaoka Hachimangu* (*Kabukiza sangatsu kyōgen – Tsurugaoka Hachimangu shazen no ba* 歌舞伎座三月狂言・鶴ヶ岡八幡宮社前の場), 1893
Xilografía policroma *ukiyo-e* (fragmento de tríptico)
36 x 24 cm
Colección Biblioteca Nacional de México, UNAM

Utagawa Hiroshige 歌川広重 (1797-1858)
Es quizás el diseñador de paisajes más conocido de la historia del *ukiyo-e*. Hijo de un bombero de Edo, estudió en el taller del artista Utagawa Toyohiro 歌川豊広 (1773-1828) en 1811. Sus primeras ilustraciones para libros datan de 1818, época en la que también incursionó en las temáticas de actores del *kabuki*, guerreros (*musha-e* 武者絵) y mujeres bellas. Bajo la influencia de Hokusai, en 1831, comenzó sus series de paisajes que lo lanzaron a la fama mundial, como las "Cincuenta y tres estaciones de la carretera del Tōkai" ("Tōkaidō gojūsan tsugi" 東海道五十三次, 1833-1834) y "Cien vistas famosas de Edo" ("Meisho Edo hyakkei" 名所江戸百景, 1856-1859), entre otras. La obra de Hiroshige consolidó el género de paisaje en la estampa japonesa y lo adaptó al gusto popular.

49 *El cuento de Kameyama* (*Kameyama banashi* 亀山咄), de la serie "Ilustraciones de piedad filial y de venganza" ("Chūkō adauchi zue" 忠孝仇討圖會), 1844
Editor: Wakasaya Yoichi 若狭屋與一
Grabador: Yokogawa Takejirō 横川武次郎
Xilografía policroma *ukiyo-e*
35 x 23.5 cm
Colección Biblioteca Nacional de México, UNAM

50 *El puente de Yatsumi* (*Yatsumi no hashi* 八ツ見のはし), de la serie "Vistas famosas de Tokio" ("Tōkyō meisho" 東京名所), fines del siglo XIX
Editor: Uoya Eikichi 魚屋栄吉
Xilografía policroma *ukiyo-e*
34.5 x 23 cm
Colección Biblioteca Nacional de México, UNAM

51 *Ermita de Bashō y Cerro de las Camelias en el acueducto de Sekiguchi* (*Sekiguchi jōsui-bata Bashō-an Tsubaki-yama* せき口上水端はせを庵椿やま), de la serie "Vistas famosas de Tokio" ("Tōkyō meisho" 東京名所), fines del siglo XIX
Xilografía policroma *ukiyo-e*
34 x 23 cm
Colección Biblioteca Nacional de México, UNAM

52 *La isla Ganryū* (*Ganryū-jima* 巌流島), de la serie "Ilustraciones de piedad filial y de venganza" ("Chūkō adauchi zue" 忠孝仇討圖會), 1844
Editor: Ibaya Sensaburō 伊場屋仙三郎
Grabador: Yokogawa Takejirō 横川武次郎
Xilografía policroma *ukiyo-e*
24 x 35 cm
Colección Biblioteca Nacional de México, UNAM

53 *Vista de Kōnodai y del río Tone* (*Kōnodai Tonegawa fūkei* 鴻の台とね川風景), de la serie "Cien vistas famosas de Edo" ("Meisho Edo hyakkei" 名所江戸百景), 1856
Editor: Uoya Eikichi 魚屋栄吉
Xilografía policroma *ukiyo-e*
34 x 24.2 cm
Colección Biblioteca Nacional de México, UNAM

Utagawa Hiroshige II 二代歌川広重 (1826-1869)
Pintor e ilustrador de estampas *ukiyo-e*. Hijo de un bombero de la ciudad de Edo, fue pupilo e hijo adoptivo de Hiroshige I. Utilizó el nombre artístico Shigenobu 重宣 hasta la muerte de Hiroshige en 1858, cuando cambió a Hiroshige II. Se dedicó, sobre todo, a diseñar *ukiyo-e* con temas vinculados a los lugares famosos de Edo y de otras partes del país, así como algunas estampas de pájaros y flores.

54 *La villa de Sekiya* (*Sekiya no sato* 関屋のさと), de la serie "Treinta y seis vistas de la capital del este" ("Tōto sanjūrokkei" 東都三十六景), 1862
Editor: Sagamiya Tōkichi 相模屋藤吉
Xilografía policroma *ukiyo-e*
34.5 x 23.3 cm
Colección Biblioteca Nacional de México, UNAM

55 *Procesión en el puente Nihonbashi de Edo* (*Tōto Nihonbashi gyōretsu* 東都日本橋行烈), 1863
Editor: Iseya Kanekichi 伊勢屋兼吉
Xilografía policroma *ukiyo-e* (tríptico)
37 x 77 cm
Colección Biblioteca Nacional de México, UNAM

Utagawa Hiroshige III 三代歌川広重 (1842-1894)
Ilustrador de libros y de estampas *ukiyo-e* de la escuela Utagawa. Fue hijo de un constructor de barcos de Edo y discípulo de Hiroshige I, aunque con la muerte del maestro en 1858, continuó sus estudios con Hiroshige II. Un número importante de sus estampas reproducen la vida cambiante de la ciudad de Tokio, así como los nuevos edificios, tecnología y costumbres occidentales que se importaron a partir de la Restauración Meiji 明治維新 de 1868.

56 *Imagen del ferrocarril de vapor en la playa de Takanawa en Tokio* (*Tōkyō Takanawa kaigan jōkisha tetsudō-zu* 東京高輪海岸蒸気車鉄道図), 1871
Xilografía policroma *ukiyo-e* (tríptico)
37 x 74 cm
Colección Biblioteca Nacional de México, UNAM

Utagawa Kunisada I 歌川国貞, también conocido como Toyokuni III 三代豊国 (1786-1864)
Uno de los más prolíficos artistas del *ukiyo-e*. Pupilo de Utagawa Toyokuni I 歌川豊国 (1769-1825), fue pintor, además de un fecundo diseñador de estampas, de las que produjo más de veinticinco mil. Como ilustrador de libros se inició en 1807, y se convirtió en uno de los diseñadores más consagrados en la temática de actores del teatro *kabuki*. También elaboró un número igualmente grande de libros ilustrados. A pesar de que hoy día maestros como Hokusai y Hiroshige son más conocidos en todo el mundo, en su momento Kunisada fue el ilustrador con más reputación y exitoso de la ciudad de Edo.

57 *Flores y pájaros: Genji y acompañantes compartiendo un bote* (*Hana ni tori noriai Genji* 花鳥乗合源氏), 1859
Editor: Kagaya Kichiemon 加賀屋吉右衛門
Xilografía policroma *ukiyo-e* (tríptico)
35.7 x 74.5 cm
Colección Biblioteca Nacional de México, UNAM

58 *Número 1* (*Dai ichi* 第一), de la serie "Murasakis de Edo, comparación de figuras" ("Edo murasaki sugata kurabe" 江戸紫姿競), 1852
Editor: Jōshūya Kinzō 上州屋金蔵
Xilografía policroma *ukiyo-e* (fragmento de díptico)
36.7 x 25.1 cm
Colección Biblioteca Nacional de México, UNAM

59 *Tobae no Masuroku* (*Toba-e no Masuroku* 鳥羽絵ノ升六), 1860
Editor: Iseya Shōnosuke 伊勢谷庄之助
Grabador: Katada Chōjirō 片田長次郎
Xilografía policroma *ukiyo-e*
36.3 x 24.6 cm
Colección Biblioteca Nacional de México, UNAM

Utagawa Kunisada I 歌川国貞, también conocido como Toyokuni III 三代豊国
Utagawa Hiroshige II 二代歌川広重

60 *El jardín de irises de Horikiri* (*Horikiri hanashōbu* 堀きり花菖蒲), de la serie "El orgullo de Edo, treinta y seis escenas" ("Edo jiman, sanjūrokkei" 江戸自慢三十六興), 1864
Editor: Hiranoya Shinzō 平野屋新蔵
Grabador: Ōta Tashichi 太田多七
Xilografía policroma *ukiyo-e*
34 x 24.2 cm
Colección Biblioteca Nacional de México, UNAM

61 *Nieve en el jardín* (*Teichū no yuki* 庭中之雪), de la serie "El Genji en colaboración de pinceles" ("Gappitsu Genji" 合筆源氏), 1859
Editor: Sagamiya Tōkichi 相模屋藤吉
Xilografía policroma *ukiyo-e* (tríptico)
37 x 75.5 cm
Colección Biblioteca Nacional de México, UNAM

Utagawa Kunisada II 二代歌川国貞 (1823-1880)
Ilustrador de libros y de estampas *ukiyo-e*, en un principio firmaba como Kunimasa. Discípulo de Kunisada I, de quien adoptó el nombre en 1846, cuando se casó con la hija de éste. Fue un artista muy competente que produjo estampas de temas tan variados como mujeres bellas, actores de *kabuki*, guerreros y paisajes, todos al estilo de su maestro.

62 *Cerezos de la casa de Kuki en Naka-no-chō* (*Kukirō naka-no-chō bun* 久喜楼仲の町分), 1864
Editor: Maruya Kyūshirō 丸屋久四郎
Xilografía policroma *ukiyo-e* (tríptico)
37 x 76 cm
Colección Biblioteca Nacional de México, UNAM

63 *Escena número 22*, de la serie "Los ocho aspectos de Buda en imitaciones contemporáneas" ("Shaka hassō-ki imayō utsushi-e, nijūni" 釈迦八相記今様写絵廿二), 1860
Editor: Tsujiokaya Bunsuke 辻岡屋文助
Xilografía policroma *ukiyo-e*
35 x 25 cm
Colección Biblioteca Nacional de México, UNAM

64 *Escena número 24*, de la serie "Los ocho aspectos de Buda en imitaciones contemporáneas" ("Shaka hassō-ki imayō utsushi-e, nijūyon" 釈迦八相記今様写絵廿四), 1860
Editor: Tsujiokaya Bunsuke 辻岡屋文助
Grabador: Katada Chōjirō 片田長次郎
Xilografía policroma *ukiyo-e*
35 x 24 cm
Colección Biblioteca Nacional de México, UNAM

65 *Escena número 25*, de la serie "Los ocho aspectos de Buda en imitaciones contemporáneas" ("Shaka hassō-ki imayō utsushi-e, nijūgo" 釈迦八相記今様写絵廿五), 1860
Editor: Tsujiokaya Bunsuke 辻岡屋文助
Grabador: Horikō Fukachō 彫工深長
Xilografía policroma *ukiyo-e*
35 x 25 cm
Colección Biblioteca Nacional de México, UNAM

66 *Sekidera* (*Sekidera* せきでら), de la serie "Siete Komachi y las diversiones de la capital del este" ("Nana Komachi Azuma fūzoku" 七小町吾妻風俗), 1857
Editor: Fujiokaya Keijirō 藤岡屋慶次郎
Xilografía policroma *ukiyo-e* (fragmento de tríptico)
37 x 25.5 cm
Colección Biblioteca Nacional de México, UNAM

Utagawa Kuniteru II 二代歌川国輝 (1830-1874)

Pintor e ilustrador de libros y de estampas *ukiyo-e*. Discípulo de Kunisada I, produjo sobre todo estampas de actores del teatro *kabuki*, además de estampas de mujeres bellas, lugares famosos y luchadores de *sumō* 相撲 a la manera de la escuela Utagawa tardía. A veces es difícil poder distinguir sus diseños de los de Kuniteru III.

67 *Yoshitsune y los mil árboles de cerezo; cuarta escena, las montañas de Yoshino* (*Yoshitsune senbon zakura, yondanme no kiri, Yoshinoyama* 義経千本桜四段目ノ切吉野山), 1867
Editor: Daikokuya Heikichi 大黒屋平吉
Xilografía policroma *ukiyo-e* (fragmento de tríptico)
34.5 x 24 cm
Colección Biblioteca Nacional de México, UNAM

Utagawa Kuniyoshi 歌川国芳 (1798-1861)

Uno de los artistas de *ukiyo-e* más renombrados de la primera mitad del siglo XIX. Pintor, diseñador de estampas e ilustrador de libros, fue primero entrenado como tintorero en el negocio familiar de su padre. Además de sus estudios en el taller de Toyokuni I, a partir de 1811, recibió instrucción en las escuelas de pintura Tosa 土佐派, Kanō y Maruyama-Shijō. A pesar de que en una primera etapa produjo un número importante de estampas de actores de *kabuki* y de mujeres bellas, convirtiéndose en el principal rival comercial de Kunisada, su salto a la fama se produjo en 1827, cuando publicó su serie "Ciento ocho héroes del Suikoden popular, individualizados" ("Tsūzoku Suikoden gōketsu hyakuhachinin no hitori" 通俗水滸伝豪傑百八人之一個, 1827), lo que provocó que la entonces reciente temática de estampas de guerreros se popularizara enormemente.

68 *Diversión en el jardín* (*O-niwa asobi* 於にハあそび), 1851
Editor: Izumiya Ichibei 和泉屋市兵衛
Xilografía policroma *ukiyo-e* (tríptico)
37 x 76 cm
Colección Biblioteca Nacional de México, UNAM

Utagawa Yoshimori 歌川芳盛 (1830-1884)

Ilustrador de libros y de estampas *ukiyo-e* de Edo y Yokohama. Pupilo principal de Kuniyoshi, realizó numerosos diseños para estampas de pájaros y flores (*kachō-ga*), guerreros, paisajes de Yokohama y estampas satíricas (*giga* 戯画). Hacia el final de su vida se trasladó a la ciudad de Yokohama, desde donde produjo estampas de pájaros y flores para exportación. Realizó también diseños para libros de poesía humorística y cancioneros.

69 *El orgullo de Edo, figuras contemporáneas* (*Edo jiman imayō sugata* 江戸自慢今様姿), 1866
Editor: Tansei 丹清
Xilografía policroma *ukiyo-e* (fragmento de tríptico)
36 x 24.5 cm
Colección Biblioteca Nacional de México, UNAM

Varios ilustradores

70 Álbum de coleccionista con estampas japonesas, siglo XIX
Xilografía policroma *ukiyo-e* (álbum formato acordeón; *orihon* 折本)
35 cm x 1649 cm aprox.
Colección Biblioteca Nacional de México, UNAM

Toyohara Kunichika 豊原国周

a *El estanque de la cascada con cara de flor. Los actores Ichikawa Kuzō como Kazama Hachirō, Nakamura Fukusuke de Osaka como Hatsuhana, Ichikawa Danjūrō como Mongaku Shonin, Nakamura Fukusuke como Terute-hime, Onoe Kikugorō como Ogata Jiraiya e Ichikawa Sadanji como Takabatake no Sakichi* (*Hana no kao sugata no taki-tsubo. Kazama Hachirō, Ichikawa Kuzō; Hatsuhana, Ōsaka Nakamura Fukusuke; Mongaku Shonin, Ichikawa Danjūrō; Terute-hime, Nakamura Fukusuke; Ogata Jiraiya, Onoe Kikugorō; Takabatake no Sakichi, Ichikawa Sadanji* 花の顔姿の瀧壺。風間八郎・市川九蔵・初花・大阪中村福助・文覺上人・市川団十郎、照手姫め・中村福助、尾形地雷也・尾上菊五郎、高畠の左吉・市川左團次), 1885
Editor: Kodama Matashichi 児玉又七
Xilografía policroma *ukiyo-e* (tríptico), montada en álbum

b *Retrato poético del actor Ichikawa Danjūrō IX*, 1889
Editor: Akiyama Buemon 秋山武右衛門
Xilografía policroma *ukiyo-e* (tríptico), montada en álbum

c *Una pelea entre bomberos y luchadores de sumō en el santuario de Shiba Shinmei (o La bendición de los dioses en una pelea armónica). Los actores Ichikawa Sadanji como Mizuhiki Seigorō, también luchador de sumō Kuryūyama, Ichikawa Kodanji como el bombero Chōjirō, Nakamura Shikan como el luchador Yotsuguruma Daihachi, Onoe Kikugorō como el jefe de bomberos de Hamamatsuchō, Tatsugorō, Onoe Matsusuke como el bombero Uemon, Bandō Kakitsu como el bombero Fujimatsu, y Onoe Kōzō como el bombero Kunimatsu* (*Kami no megumi wagō no torikumi. Mizuhiki Seigorō koto Kuryūyama, Ichikawa Sadanji; Tobisha Chōjirō, Ichikawa Kodanji; Yotsuguruma Daihachi, Nakamura Shikan; Tobigata Hamamatsuchō Tatsugorō, Onoe Kikugorō; Tobisha Uemon, Onoe Matsusuke; Tobisha Fujimatsu, Bandō Kakitsu; Tobisha Kunimatsu, Onoe Kōzō* 神明恵和合取組。水引清五郎夏九龍山・市川左団治、鳶者長次郎・市川小団治、四ツ車大八・中村芝翫、鳶方濱松丁辰五郎・尾上菊五郎、鳶者亀右エ門・尾上松助、鳶者富士松・坂東家橘、鳶者国松・尾上幸蔵), ca. 1890
Editor: Fukuda Kumajirō 福田熊次郎
Xilografía policroma *ukiyo-e* (tríptico), montada en álbum

Utagawa Kunimasa III 三代歌川国政 (1823-1880)
Otro de los nombres de Kunisada II. Ver biografía de
Utagawa Kunisada II.

d *Los actores Ichikawa Enjo como Tamaori-hime, Ichikawa
Sumizō V como Hirayama Mushadokoro, Ichikawa
Danjūrō IX como Kumagai Naozane, Ichikawa Yonezō V
como Atsumori e Ichikawa Sadanji como Ishiya Midaroku
(Tamaori-hime, Ichikawa Enjo; Hirayama Mushadokoro,
Ichikawa Sumizō; Kumagai Naozane, Ichikawa Danjūrō;
Atsumori, Ichikawa Yonezō; Ishiya Midaroku, Ichikawa
Sadanji* 玉織ひめ・市川莚女・平山武者所・市川寿美蔵・熊谷
直実・市川団十郎・あつ盛・市川米蔵・石屋弥陀六・市川左団
次), 1875
Editor: Katada Chōjirō 片田長治郎
Xilografía policroma *ukiyo-e* (tríptico), montada en álbum

Utagawa Kunisada III 三代歌川国貞 (1848-1920)
Discípulo de Kunisada I y de Kunisada II. Se especializó
en estampas de actores del teatro *kabuki*. Durante la
primera etapa de su vida firmó sus estampas con el
nombre Kunimasa IV, hasta 1889 cuando adoptó
el nombre de Kunisada III.

e *A la caza de las hojas otoñales de Kagamiyama. Los
actores Ichikawa Danjūrō como Oda Ōi, Ichikawa Sadanji
como Ataka Gōemon y como Asao no Tsubone, Onoe
Kikugorō como Ōtsuki Genzō y Nakamura Fukusuke
como O-sada no kata (Kagamiyama momiji-gari. Oda
Ōi, Ichikawa Danjūrō; Ataka Gōemon, Ichikawa Sadanji;
Asao no Tsubone, Ichikawa Sadanji; Ōtsuki Genzō, Onoe
Kikugorō; O-sada no kata, Nakamura Fukusuke* 加賀見山
紅葉狩.小田大炊・市川団十郎・安ノ郷右衛門・市川左團
次、浅尾の局・市川左團次・大月源蔵・尾上菊五郎・お貞の
方・中村福助), 1889
Editor: Tsutsumi Kichibei 堤吉兵衛
Xilografía policroma *ukiyo-e* (tríptico), montada en álbum

Watanabe Shōtei 渡辺省亭, también conocido como
Seitei (1852-1918)
Pintor y grabador de estilo neo-tradicional. Fue discípulo
de Kikuchi Yōsai 菊池容斎 (1788-1878) y uno de los
primeros artistas japoneses en viajar a Europa. En su obra
con mucha frecuencia articula elementos de los modos
de representación de Occidente con técnicas de pintura
características de la escuela de Yōsai. Fue también activo
en el diseño para cerámica y esmaltes, así como editor de
la revista *El mundo del arte* (*Bijutsu no sekai* 美術の世界),
una de las primeras publicaciones periódicas japonesas de
arte.

71 Sin título, *ca.* 1880
Xilografía policroma *ukiyo-e*
20.4 x 28.2 cm
Colección Biblioteca Nacional de México, UNAM

72 Sin título, *ca.* 1880
Xilografía policroma *ukiyo-e*
21 x 28 cm
Colección Biblioteca Nacional de México, UNAM

73 Sin título, fines del siglo XIX
Xilografía policroma *ukiyo-e*
23 x 26 cm
Colección Biblioteca Nacional de México, UNAM

PUBLICACIONES

W. G. Aston (1841-1911)
74 *A History of Japanese Literature*, D. Appleton & Co., New
York-London, 1916
Impreso
19.2 x 13.4 cm
Colección Biblioteca Nacional de México, UNAM
*No ilustrado

Edward Dillon (¿?-1914)
75 *The Arts of Japan*, 3ª ed., A.C. McClurg, Chicago, 1914,
212 pp.
Impreso
15 x 12 cm
Colección Biblioteca de México
*No ilustrado

Hasegawa Settan 長谷川雪旦 (1778-1843) [ilustraciones]
Saitō Yukio 斎藤幸雄 (1737-1799)
Saitō Yukitaka 斎藤幸孝 (1772-1818)
Saitō Gesshin 斎藤月岑 (1804-1878) [texto]
Pintor de origen samurái de principios del siglo XIX. Nació
y produjo su obra en la ciudad de Edo. Desde muy joven
estudió en los talleres de la escuela Kanō. Fue también
escultor y tallador de planchas de grabado, además de
componer *haikai* 俳諧 para varios círculos de poesía. Su
primer trabajo lo realizó en 1798 en un proyecto conjunto
con Kitao Shigemasa 北尾重政 y Katsushika Hokusai 葛飾
北斎. En las últimas etapas de su vida trabajó como pintor
oficial del clan samurái de Ogasawara 小笠原. Su obra más
conocida el día de hoy son las ilustraciones que realizó
en 1834 para el conocido libro *Guía ilustrada de lugares
famosos de Edo* (*Edo meisho zue* 江戸名所図会).

76 *Guía ilustrada de lugares famosos de Edo* (*Edo meisho
zue* 江戸名所図会), vol. 1, Tokio, s.f.
Editor: Hakubunkan 博文館
Xilografía monocroma *ukiyo-e* (libro ilustrado)
26.1 x 18.1 cm
Colección Biblioteca Nacional de México, UNAM

Katsushika Hokusai 葛飾北斎 (1760-1849)
Se considera hoy día el principal maestro de *ukiyo-e* del
siglo XIX. Nacido en la ciudad de Edo, se movió con gran
talento en dicho género entre la pintura, la ilustración de
libros y el diseño de estampas, en el que comenzó como
aprendiz de grabador. A los 18 años de edad empezó a
estudiar bajo la tutela de Katsukawa Shunshō 勝川春章
(1726-1793), conocido ilustrador de estampas de actores
del teatro *kabuki* 歌舞伎. Fue un gran innovador y gustaba
de experimentar en su trabajo con diferentes estilos.
Varias de sus obras son en la actualidad mundialmente
famosas, por ejemplo, la serie de estampas "Las treinta y
seis vistas del monte Fuji" ("Fūgaku sanjūrokkei" 富嶽三十
六景 , *ca.* 1831), de donde proviene "La ola", y el libro en
15 volúmenes *Bosquejos de Hokusai* 北斎漫画 (*Hokusai
manga*, primera edición en 1814).

77 *Bosquejos de Hokusai* (*Hokusai manga* 北斎漫画), vol. 2,
Tokio, 1878
Editor: Katano Tōshirō 片野東四郎
Xilografía monocroma *ukiyo-e* (libro ilustrado)
24.5 x 16.1 cm
Colección Biblioteca Nacional de México, UNAM

78 *Bosquejos de Hokusai* (*Hokusai manga* 北斎漫画), vol. 14, Tokio, 1878
Editor: Katano Tōshirō 片野東四郎
Xilografía monocroma *ukiyo-e* (libro ilustrado)
24.5 x 16.1 cm
Colección Biblioteca Nacional de México, UNAM

79 *Las cien vistas del Fuji* (*Fugaku hyakkei* 富嶽百景), vol. 1, 1834-1835
Editores: Eirakuya Tōshirō 永楽屋東四郎, Nishimura Yūzō 西村裕三, Nishimuraya Yohachi 西村屋与八
Xilografía monocroma *ukiyo-e* (libro ilustrado)
24.2 x 15.5 cm
Colección Biblioteca Nacional de México, UNAM

Julius Kurth (1870-1949)

80 *Der Japanische Holzschnitt: ein Abriss Seiner Geschichte*, R. Piper & Co. Verlag, München, 1911, 125 pp.
Impreso
24 x 17 cm
Colección Biblioteca de México
*No ilustrado

Morimoto Tōkaku 森本東閣 (1877-1947)
No contamos prácticamente con información acerca de este artista. Fue un pintor, radicado en Kioto, de la escuela nihonga 日本画, de estilo neo-tradicionalista.

81 *Libro ilustrado de especies de insectos* (*Chūrui gafu* 蟲類画譜), Kioto, 1910
Editor: Unsōdō 芸艸堂
Xilografía policroma *ukiyo-e* (libro ilustrado)
24.2 x 16.5 x 1 cm
Colección Biblioteca Nacional de México, UNAM

Edward F. Strange (1862-1929)

82 *The Colour-prints of Japan: An Appreciation and History*, vol. XII, Siegle-Hill & Co., London, 1914, 85 pp.
Impreso
15.5 x 12 cm
Colección Biblioteca de México
*No ilustrado

José Juan Tablada (1871-1945)

83 *En el país del sol*, D. Appleton y Co., Nueva York-Londres, 1919
25 x 19.5 cm
Colección Arturo Saucedo

84 *Hiroshigué. El pintor de la nieve y de la lluvia, de la noche y de la luna*, s.p.i., México, 1914 (Monografías japonesas), 119 pp.
21 x 16 cm
Colección Biblioteca de México

85 *Un día... Poemas sintéticos*, s.p.i, Caracas, 1919
Impreso
21 x 13 cm
Colección Fondo González de Mendoza, Biblioteca Rubén Bonifaz Nuño. Instituto de Investigaciones Filológicas, UNAM

José Juan Tablada [ilustración de portada y texto]

86 "En el país del sol", *Revista Moderna*, año III, núm. 17, 1ª quincena de septiembre de 1900, pp. 257-261
29.5 x 40 cm
Colección Arturo Saucedo

José Juan Tablada [ilustración y texto]

87 "Praderas de otoño", *Revista Moderna*, año IV, núm. 1, 1ª quincena de enero de 1901, pp. 27-29
29.5 x 39.5 cm
Colección Arturo Saucedo

Watanabe Shōtei 渡辺省亭, también conocido como Seitei

88 *Álbum ilustrado de pájaros y flores* (*Kachō gafu* 花鳥画譜), Tokio, 1890
Editor: Ōkura Magobei 大倉孫兵衛
Xilografía policroma *ukiyo-e* (libro ilustrado)
24.2 x 16.8 x 1.1 cm
Colección Biblioteca Nacional de México, UNAM

Yamada Naosaburō 山田直三郎 (1892-¿?)
Fundador de la casa editorial Unsōdō 芸艸堂, creada en 1891 y ubicada en el barrio de Teramachi 寺町 de la ciudad de Kioto. Un volumen importante de la producción de libros ilustrados publicados por la casa editorial de Yamada estaban dedicados a patrones de diseño para textiles y cerámica. Colaboró con importantes diseñadores y artistas de fines del siglo XIX y principios del XX, como lo fue Kamisaka Sekka 神坂雪佳. Se relacionó con artistas de los diferentes movimientos gráficos que caracterizaron al Japón moderno. Sus publicaciones son muy estimadas por la alta calidad técnica que poseían.

Furuya Kōrin 古谷紅隣 (1875-1910)
Diseñador japonés de fines del siglo XIX y principios del XX. Estudió en Kioto con el conocido artista Kamisaka Sekka. Participó en varias exhibiciones de diseño moderno, en las que frecuentemente recibió premios. En las últimas etapas de su carrera, fue profesor de la Escuela de Artes y Diseño de Kioto. Se considera el principal sucesor de Kamisaka Sekka, y de los primeros exponentes del diseño moderno japonés que toma como base los trabajos de la escuela Rinpa 琳派 del siglo XVII. Produjo numerosos libros ilustrados con sus diseños.

89 *Mar de arte* (*Bijutsu-kai* 美術海), vol. 30, Kioto, 1897
Editor: Unsōdō 芸艸堂
Xilografía policroma *ukiyo-e* (libro ilustrado)
24.2 x 16.5 x 0.5 cm
Colección Biblioteca Nacional de México, UNAM

LISTA DE FIGURAS

Autor no identificado

1 Adela Vázquez Schiaffino posando como japonesa en el taller de Félix Bernardelli, *ca.* 1900
Plata / gelatina
Colección Familia Bernardelli

2 Calle Motomachi, Yokohama, s.f.
Impresión a la albúmina coloreada [carte-de-visite]
Colección particular

3 Copia del retrato de Tablada que estaba en su biblioteca, s.f.
Óleo sobre tela
60 x 82.5 cm
Colección Esther Hernández Palacios

4 "El bardo de los 'haikais', entre los libros amados de su biblioteca" [reproducida en "Memorias íntimas de Tablada", *Revista de Revistas*, año XXVI, núm. 1390, 10 de enero de 1937], *ca.* 1937
Colección Arturo Saucedo

5 José Juan Tablada en el jardín de su casa en Cuernavaca, 1938
24.4 x 19 cm
Plata / gelatina
Colección Archivo Gráfico José Juan Tablada, Biblioteca Rubén Bonifaz Nuño. Instituto de Investigaciones Filológicas, UNAM

6 José Juan Tablada en la puerta de su librería en Nueva York, *ca.* 1920
Plata / gelatina
21.6 x 16.5 cm
Colección Archivo Gráfico José Juan Tablada, Biblioteca Rubén Bonifaz Nuño. Instituto de Investigaciones Filológicas, UNAM

7 Templo Zotoku en Motomachi, Yokohama, *ca.* 1900
Impresión a la albúmina coloreada [carte-de-visite]
Colección particular

Félix Bernardelli (1862-1908)

8 *Chapala, ca.* 1899
Óleo sobre tela
35 x 20.8 cm
Colección Familia Bernardelli

Agustín Casasola (1874-1938) y Miguel Casasola (1876-1951)

9 Exposición *Estampas de Hiroshigué* creada por José Juan Tablada y Gabriel Fernández Ledesma en el Palacio de Bellas Artes, 1937
Placa / gelatina
SINAFO, SECRETARÍA DE CULTURA.-INAH.-MEX, N. 172792

10 José Juan Tablada en su biblioteca acompañado de una mujer, *ca.* 1910
Placa / gelatina
SINAFO, SECRETARÍA DE CULTURA.-INAH.-MEX, N. 6110

11 José Juan Tablada en su casa, 1937
Plata / gelatina
SINAFO, SECRETARÍA DE CULTURA.-INAH.-MEX, N. 31035

12 José Juan Tablada en una habitación de su casa estilo japonés, *ca.* 1910
Placa / gelatina
SINAFO, SECRETARÍA DE CULTURA.-INAH.-MEX, N. 5687

Katsushika Hokusai 葛飾北斎 (1760-1849)

13 *Bajo la ola en las afueras de Kanagawa (Kanagawa oki nami ura* 神奈川沖浪裏), de la serie "Las treinta y seis vistas del monte Fuji" ("Fugaku sanjūrokkei" 富嶽三十六景), *ca.* 1830-1832
Editor: Nishimuraya Yohachi 西村屋与八
Xilografía policroma *ukiyo-e*
25.7 x 37.9 cm
The Metropolitan Museum of Art, H. O. Havemeyer Collection, Bequest of Mrs. H. O. Havemeyer, 1929

14 *El puente colgante sobre las nubes del monte Gyōdō, cerca de Ashikaga (Ashikaga Gyōdōzan kumo no kakehashi* 足利行道山くものかけはし), de la serie "Imponentes vistas de puentes famosos en varias provincias" ("Shokoku meikyō kiran" 諸国名橋奇覧), *ca.* 1834
Editor: Nishimuraya Yohachi 西村屋与八
Xilografía policroma *ukiyo-e*
25.7 x 38.4 cm
The Metropolitan Museum of Art, Henry L. Phillips Collection, Bequest of Henry L. Phillips, 1939

15 *Libro ilustrado de modelos de parejas (Ehon tsuhi no hinagata* 絵本つひの雛形), *ca.* 1812
Xilografía policroma *ukiyo-e* (álbum ilustrado)
25.2 x 36.6 cm
The Trustees of the British Museum

16 *Reflejo sobre el lago en Misaka, provincia de Kai (Kōshū Misaka suimen* 甲州三坂水面), de la serie "Las treinta y seis vistas del monte Fuji" ("Fugaku sanjūrokkei" 富嶽三十六景), *ca.* 1830-1832
Editor: Nishimuraya Yohachi 西村屋与八
Xilografía policroma *ukiyo-e*
24.9 x 37 cm
The Metropolitan Museum of Art, Rogers Fund, 1914

17 *Señorío de Umezawa en la provincia de Sagami (Sōshū Umezawa zai* 相州梅沢左), de la serie "Las treinta y seis vistas del monte Fuji" ("Fugaku sanjūrokkei" 富嶽三十六景), *ca.* 1830-1832
Editor: Nishimuraya Yohachi 西村屋与八
Xilografía policroma *ukiyo-e*
25.7 x 38.4 cm
The Metropolitan Museum of Art, Henry L. Phillips Collection, Bequest of Henry L. Phillips, 1939

18 *Viento del sur, cielo despejado* (*Gaifū kaisei* 凱風快晴), de la serie "Las treinta y seis vistas del monte Fuji" ("Fugaku sanjūrokkei" 富嶽三十六景), *ca.* 1830-1832
Editor: Nishimuraya Yohachi 西村屋与八
Xilografía policroma *ukiyo-e*
24.4 x 35.6 cm
The Metropolitan Museum of Art, Rogers Fund, 1914

Kitagawa Utamaro 喜多川歌麿 (1753-1806)

19 Estampa sin título, del álbum erótico *Los hilos del deseo* (*Negai no itoguchi* ねがいの糸口), 1799
Xilografía policroma *ukiyo-e*
25.4 x 38.4 cm
The Metropolitan Museum of Art, Anonymous Gift, 1949

20 Sin título (Dos mujeres), *ca.* 1790
Xilografía policroma *ukiyo-e*
39.1 x 25.7 cm
The Metropolitan Museum of Art, The Howard Mansfield Collection, Purchase, Rogers Fund, 1936

21 Sin título (Mujer y gato), *ca.* 1793-1794
Xilografía policroma *ukiyo-e* (fragmento de tríptico)
38.4 x 25.9 cm
The Metropolitan Museum of Art, H. O. Havemeyer Collection. Bequest of Mrs. H. O. Havemeyer, 1929

22 *Tipo coqueta* (*Uwaki no sō* 浮気之相), de la serie "Diez fisionomías femeninas" ("Fujin sōgaku jittai" 婦人相学十躰), *ca.* 1792-1793
Editor: Tsutaya Jūzaburō 蔦屋重三郎
Xilografía policroma *ukiyo-e*
34 x 23 cm
The Trustees of the British Museum

José María Lupercio (1870-1927)

23 Félix Bernardelli con sus alumnos. En sentido de las manecillas del reloj: José María Lupercio, Rafael Ponce de León, alumno no identificado, Jorge Enciso y Gerardo Murillo, *ca.* 1898
Plata / gelatina
Colección Familia Bernardelli

Gerardo Murillo, Dr. Atl (1875-1964)

24 *Popocatépetl*, *ca.* 1912
Esténcil
22 x 48.5 cm
Colección Carlos Monsiváis / Museo del Estanquillo

25 Sin título (Árbol quemado y volcán negro), 1928
Esténcil
23.5 x 30 cm
Colección Familia Name Valdivia

Carlos Obregón Santacilia (1896-1961)

26 De izquierda a derecha: Jorge Enciso, Ismael Palomino, Adela Formoso de Obregón Santacilia, José Juan Tablada, Julio Torri y Jorge Palomino [reproducida en J. M. González de Mendoza, "Universalidad de la poesía de José Juan Tablada", *Revista de Revistas*, año XXVI, núm. 1390, 10 de enero de 1937], 1936
Colección Arturo Saucedo

José Clemente Orozco (1883-1949)

27 *La recámara*, *ca.* 1910
Acuarela sobre papel
42.2 cm x 60.4 cm
Museo Nacional de Arte, INBAL

28 *La ronda*, *ca.* 1913
Acuarela sobre papel
44 x 60 cm
Colección Andrés Blaisten

Alfredo Ramos Martínez (1871-1946)

29 *Patio*, s.f.
Óleo sobre tela
57.5 x 47.5 cm
Colección Museo de Arte Moderno del Estado de México

Diego Rivera (1886-1957)

30 *Naturaleza muerta con estampa japonesa*, 1909
Óleo sobre lienzo
81 x 100 cm
Colección Roberto Shapiro

José Juan Tablada (1871-1945)

31 *Hormigas sobre un grillo muerto*, Caracas, septiembre de 1919
Grafito y lápiz de color sobre papel revolución
23.4 x 14.6 cm
Colección Archivo Gráfico José Juan Tablada, Biblioteca Rubén Bonifaz Nuño. Instituto de Investigaciones Filológicas, UNAM

32 *La Esperanza*, 25 de abril de 1919
Acuarela, lápiz de color y tinta sobre papel marquilla
28 x 21 cm
Colección Archivo Gráfico José Juan Tablada, Biblioteca Rubén Bonifaz Nuño. Instituto de Investigaciones Filológicas, UNAM

33 *Mi casa en San Francisco, California*, 15 de junio de 1900
Acuarela sobre papel marquilla
14.2 x 16.3 cm
Colección Archivo Gráfico José Juan Tablada, Biblioteca Rubén Bonifaz Nuño. Instituto de Investigaciones Filológicas, UNAM

34 *Oruga de* thrydopterix ephemeraeformis – *Churruscos*, 2 de mayo de 1919
Carbón y acuarela sobre papel
21.5 x 7.6 cm
Colección Archivo Gráfico José Juan Tablada, Biblioteca Rubén Bonifaz Nuño. Instituto de Investigaciones Filológicas, UNAM

Tani Bunchō 谷文晁 (1763-1840)

35 *Montañas famosas del Japón* (*Nihon meizan zue* 日本名
山図会), vol. 1, Edo, 1812
Editor: Suwaraya Mohei 須原屋茂兵衛
Xilografía monocroma *ukiyo-e* (libro ilustrado)
26.3 x 18.7 cm
Portland Art Museum, Portland, Oregon. Museum
Purchase: Funds provided by Mrs. James Stevens , 90.2a-c

36 *Monte Fuji en las Cuatro Estaciones, Verano* (*Shiki Fuji-zu
no uchi, natsu* 四季富士図のうち夏), siglo XIX
Rollo colgante; tinta y color sobre seda
113.4 x 49.8 cm
Museum of Fine Arts, Boston, William Sturgis Bigelow
Collection, 11.8667

Tosa Mitsunobu 土佐光信 (1434-1525)

37 *Akashi* 明石, escena del capítulo 13 de *Los cuentos de
Genji* (*Genji monogatari* 源氏物語), 1509-1510
Color, tinta y oro sobre papel
24.3 cm x 18 cm
Harvard Art Museums/Arthur M. Sackler Museum, Bequest
of the Hofer Collection of the Arts of Asia

Utagawa Hiroshige 歌川広重 (1797-1858)

38 *Nihonbashi: salida al amanecer* (*Nihonbashi Akebono
tabidachi no zu* 日本橋曙旅立の図), de la serie "Las
cincuenta y tres estaciones de Tōkaidō" ("Tōkaidō gojūsan
tsugi no uchi" 東海道五十三次之內), también conocido
como "El Tōkaidō en letra cursiva" ("Gyōsho Tōkaidō" 行
書東海道), *ca.* 1841-1844
Xilografía policroma *ukiyo-e*
22 x 35 cm
Museum of Fine Arts, Boston, William S. and John T.
Spaulding Collection, 21.8977

Utagawa Kunisada I 歌川国貞, también conocido como
Toyokuni III 三代豊国 (1786-1864)

39 *Retrato póstumo de Hiroshige* (*Hiroshige no shini'e* 広重の
死絵), 1858
Editor: Uoya Eikichi 魚屋栄吉
Grabador: Yokokawa Takejirō 横川武次郎
Xilografía policroma *ukiyo-e*
36.2 x 24.4 cm
The Metropolitan Museum of Art, Henry L. Phillips
Collection, Bequest of Henry L. Phillips, 1939

PUBLICACIONES Y DOCUMENTOS

40 Folleto de la exposición *Estampas de Hiroshigu*é, México,
marzo de 1937
Colección particular

41 Lista o relación de embarque de inmigrantes extranjeros
para el inspector de migración (List or Manifest of Alien
Immigrants for the Commissioner of Immigration), 1900.
El nombre de José Juan Tablada se encuentra marcado
como el pasajero número 21 al final de la lista
The National Archives at San Francisco

42 Orden del Sagrado Tesoro, cuarta clase: José Juan Tablada,
periodista. Comité de Recepción para Miembro de la
Cámara de Representantes, por parte del Embajador de
Japón, Ministerio de Relaciones Exteriores de Japón [1910]
勲四等瑞寶章、新聞記者、当時外務省日本大使接伴掛代議
士、ホセ・フワン・タブラだ、5 de marzo de 1914
Mecanografiado
Ministerio de Relaciones Exteriores de Japón

Louis Aubert (1876-¿?)

43 *Les Maîtres de l'Estampe Japonaise*, Librarie Armand
Colin, París, 1914
The Library of the University of California, Los Angeles

Ricardo Gómez Robelo (1884-1924)

44 "La exposición de *Savia Moderna*. Notas", *Savia Moderna*,
t. I, núm. 3, mayo de 1906, pp. 145-153
Biblioteca Miguel Lerdo de Tejada de la Secretaría
de Hacienda y Crédito Público

Edmond de Goncourt (1822-1896)

45 *Hokousaï*, Bibliothèque-Charpentier, París, 1896.
(L'Art Japonais du XVIIIᵉ Siècle)
The Getty Center Library

46 *Outamaro*, Bibliothèque-Charpentier, París, 1891.
(L'Art Japonais du XVIIIᵉ Siècle)
The Getty Research Institute

Louis Gonse (1846-1921)

47 *L'Art Japonais*, 2 vols., A. Quantin, París, 1883
Colección particular

Hasegawa Takejirō 長谷川武次郎 (1853-1938) [editor]
Kate James (¿?) [traductora]

48 *The Matsuyama Mirror*, Griffith Farran & Co., Londres-
Sidney, 1889
Colección particular

Katsushika Hokusai 葛飾北斎 (1760-1849)

49 *Bosquejos de Hokusai* (*Hokusai manga* 北斎漫画), vol. 15,
Tokio, 1878
Editor: Katano Tōshirō 片野東四郎
Xilografía monocroma *ukiyo-e* (libro ilustrado)
24.5 x 16.1 cm
Colección Biblioteca Nacional de México, UNAM

León Metchnikoff (1838-1888)

50 *L'Empire Japonais*, Imprimerie Oriental de L'Atsume Gusa,
Ginebra, 1881
Colección particular

Okusai [José Juan Tablada]

51 "Arte y artistas. Dos exposiciones: pintura y escultura. Los
pensionados mexicanos en Europa. Acontecimientos
musicales del año", *El Mundo Ilustrado*, año XIV, núm. 1,
1 de enero de 1907
Biblioteca Miguel Lerdo de Tejada de la Secretaría
de Hacienda y Crédito Público

CRÉDITOS FOTOGRÁFICOS

Reconocemos la estimable colaboración de la Embajada del Japón y del excelentísimo Sr. Yasushi Takase, así como a la Srta. Shoko Azuma. Igualmente damos las gracias a la Fundación Japón en México, a su directora Naoko Sugimoto y a Shuhei Yoshimura.

Agradecemos especialmente a las instituciones y particulares que nos apoyaron incondicionalmente para la realización de la muestra:

Grupo ADO / Art Resource / Autoridad Educativa Federal en la Ciudad de México / Biblioteca de México / Biblioteca Miguel Lerdo de Tejada-Promoción Cultural y Acervo Patrimonial, SHCP / Biblioteca Nacional de México, UNAM / Biblioteca Rubén Bonifaz Nuño. Instituto de Investigaciones Filológicas, UNAM / Cámara Japonesa de Comercio e Industria de México, A. C. / El Colegio de México / Coordinación Nacional de Literatura / Dirección General del Patrimonio Universitario / Dirección general de Servicios Urbanos, Delegación Cuauhtémoc / Embajada del Japón / Fonoteca Nacional de México / Fototeca Nacional, SINAFO-INAH / Fundación Japón en México / Hemeroteca Nacional de México, UNAM / Instituto Cultural Cabañas / Instituto del Envejecimiento Digno del Gobierno de la Ciudad de México / Instituto de Investigaciones Bibliográficas, UNAM / Instituto de la Juventud de la Ciudad de México INJUVE / Instituto de Seguridad y Servicios Sociales de los Trabajadores del Estado ISSSTE / Instituto Nacional de las Personas Adultas Mayores INAPAM / Ministerio de Relaciones Exteriores de Japón / Museo Claudio Jiménez Vizcarra / Museo de Arte Carrillo Gil / Museo del Estanquillo / Museo Nacional de Arte, INBAL / Museo Nacional de Historia, INAH / Museo Regional de Guadalajara, INAH / Museum of Fine Arts, Boston / Secretaría de Educación Pública / Secretaría de Turismo del Gobierno de la Ciudad de México / The Metropolitan Museum of Art / The National Archives at San Francisco / Universidad Nacional Autónoma de México

Instituciones

Rigoberto Albarrán / Guadalupe Alonso / Evelio Álvarez / Antonio Álvarez Lima / Rommel Amaro Lima / Luis Arista / Ana Cristina Argúmedo / Shoko Azuma / Bertha Balestra / Irene Behar / Jennifer Belt / Angélica Bernal Sánchez / Carlos Betancourt / Andrés Blastein / Hugo Camou / Martín Camps / Armando Casas /

Javier Castrejón / María de los Ángeles Ciprés Oliva / Odette Colunga / Víctor Cortés Melo / Anne Crouchley / Carolyn Cruthirds / María del Rayo Díaz Vázquez / María Estela Duarte Sánchez / Robin Dubin / Araceli Escalante Jasso / Guillermo Galindo / Ana Garduño / Danielle Goebel / Paul Goebel / Guadalupe Goenaga / Adriana Gómez Llorente / Jorge Guadarrama / Meztli Gutiérrez / Catie Heitz / Esther Hernández Palacios / Emmanuel Herrero Morales / Edgar Iván Ibarra Hernández/ Elvia Huerta Barrera / Gabriel Huitrón / América Juárez / Arturo Lechuga / Mercurio López / Adriana López Álvarez / Arturo López Rodríguez / Verónica Conzuelo Macedo / Alicia Madrazo / Alicia Magallón / Carmen Magallón / Víctor Mantilla / José Luis Martínez / Victoria Martínez / Rodolfo Mata / Guadalupe Mateos Ortíz / Eduardo Mejía Muñiz / Vidal Méndez / Mayra Mendoza Avilés / Esteban Moctezuma Barragán / Pablo Gerardo Mora Pérez-Tejada / Alex Moreno / Gabriela Mota / Luis Navarrete / Sergio Nieto Torres-Palomar / Alejandra Odor / María Fernanda Olvera Cabrera / Eugenia Lucrecia Orozco Valladares / León Ortega / Yuri Otani / Abigail Molleda Sabala / Inés Palomar / Gerardo Pastrana Santacruz / Azucena Peña / Juan Ricardo Pérez Escamilla / Eduardo Pérez "Spooky" / Alejandra Petersen Castiello / Ganesh Prieto / Carolina Rendón / John B. Reuter / Jennifer Riley / Root Rises / Luis Rius Caso / Maricarmen Riveros / Fany Roa Zavala / Rubén Rubi Vida / Erandi Rubio Huertas / Salvador Rueda Smithers / Mario Humberto Ruz / Antonio Saborit / Olga Salgado / Silvia Salgado Ruelas / José Ramón San Cristóbal Larrea / Arturo Saucedo / Verónica Iraís Soriano Noguez / Ruri Takayanagi / Pablo Tamayo Castroparedes / Aurora Torres / Celia Torres / Mónica Torres / Carlos Uzcanga Gaona / Ana Catalina Valenzuela / Jessica Vargas / Danae Vargas Chávez / Roberto Velasco / Rodolfo Velasco Guevara / Najú Ventura Medina / María del Perpetuo Socorro Villarreal Escárrega

Particulares

El Instituto Nacional de Bellas Artes y Literatura, a través del Museo del Palacio de Bellas Artes, agradece el apoyo para realizar *Pasajero 21. El Japón de Tablada* a Amigos del Museo del Palacio de Bellas Artes y a Fundación Mary Street Jenkins.

Los coordinadores y editores de esta publicación tuvieron cuidado en obtener por escrito el derecho para reproducir todas las imágenes, obras de arte y textos; sin embargo, si al cierre de esta edición hubiese una incorformidad, sírvase comunicar con la institución editora.

Pasajero 21. El Japón de Tablada
se terminó de imprimir en el mes de
junio en los talleres de Offset Santiago
en la Ciudad de México. En su formación
se utilizaron tipografías de las familias:
Giacomo, Hiragino Kaku Gothic, Adobe
Jenson, Kozuka Mincho y Philosopher.
Se tiraron 3 000 ejemplares.
México. MMXIX.

Reconocemos la estimable colaboración de la Embajada del Japón y del excelentísimo Sr. Yasushi Takase, así como a la Srta. Shoko Azuma. Igualmente damos las gracias a la Fundación Japón en México, a su directora Naoko Sugimoto y a Shuhei Yoshimura.

Agradecemos especialmente a las instituciones y particulares que nos apoyaron incondicionalmente para la realización de la muestra:

Grupo ADO / Art Resource / Autoridad Educativa Federal en la Ciudad de México / Biblioteca de México / Biblioteca Miguel Lerdo de Tejada-Promoción Cultural y Acervo Patrimonial, SHCP / Biblioteca Nacional de México, UNAM / Biblioteca Rubén Bonifaz Nuño. Instituto de Investigaciones Filológicas, UNAM / Cámara Japonesa de Comercio e Industria de México, A. C. / El Colegio de México / Coordinación Nacional de Literatura / Dirección General del Patrimonio Universitario / Dirección general de Servicios Urbanos, Delegación Cuauhtémoc / Embajada del Japón / Fonoteca Nacional de México / Fototeca Nacional, SINAFO-INAH / Fundación Japón en México / Hemeroteca Nacional de México, UNAM / Instituto Cultural Cabañas / Instituto del Envejecimiento Digno del Gobierno de la Ciudad de México / Instituto de Investigaciones Bibliográficas, UNAM / Instituto de la Juventud de la Ciudad de México INJUVE / Instituto de Seguridad y Servicios Sociales de los Trabajadores del Estado ISSSTE / Instituto Nacional de las Personas Adultas Mayores INAPAM / Ministerio de Relaciones Exteriores de Japón / Museo Claudio Jiménez Vizcarra / Museo de Arte Carrillo Gil / Museo del Estanquillo / Museo Nacional de Arte, INBAL / Museo Nacional de Historia, INAH / Museo Regional de Guadalajara, INAH / Museum of Fine Arts, Boston / Secretaría de Educación Pública / Secretaría de Turismo del Gobierno de la Ciudad de México / The Metropolitan Museum of Art / The National Archives at San Francisco / Universidad Nacional Autónoma de México

Instituciones

Rigoberto Albarrán / Guadalupe Alonso / Evelio Álvarez / Antonio Álvarez Lima / Rommel Amaro Lima / Luis Arista / Ana Cristina Argúmedo / Shoko Azuma / Bertha Balestra / Irene Behar / Jennifer Belt / Angélica Bernal Sánchez / Carlos Betancourt / Andrés Blastein / Hugo Camou / Martín Camps / Armando Casas / Javier Castrejón / María de los Ángeles Ciprés Oliva / Odette Colunga / Víctor Cortés Melo / Anne Crouchley / Carolyn Cruthirds / María del Rayo Díaz Vázquez / María Estela Duarte Sánchez / Robin Dubin / Araceli Escalante Jasso / Guillermo Galindo / Ana Garduño / Danielle Goebel / Paul Goebel / Guadalupe Goenaga / Adriana Gómez Llorente / Jorge Guadarrama / Meztli Gutiérrez / Catie Heitz / Esther Hernández Palacios / Emmanuel Herrero Morales / Edgar Iván Ibarra Hernández/ Elvia Huerta Barrera / Gabriel Huitrón / América Juárez / Arturo Lechuga / Mercurio López / Adriana López Álvarez / Arturo López Rodríguez / Verónica Conzuelo Macedo / Alicia Madrazo / Alicia Magallón / Carmen Magallón / Víctor Mantilla / José Luis Martínez / Victoria Martínez / Rodolfo Mata / Guadalupe Mateos Ortíz / Eduardo Mejía Muñiz / Vidal Méndez / Mayra Mendoza Avilés / Esteban Moctezuma Barragán / Pablo Gerardo Mora Pérez-Tejada / Alex Moreno / Gabriela Mota / Luis Navarrete / Sergio Nieto Torres-Palomar / Alejandra Odor / María Fernanda Olvera Cabrera / Eugenia Lucrecia Orozco Valladares / León Ortega / Yuri Otani / Abigail Molleda Sabala / Inés Palomar / Gerardo Pastrana Santacruz / Azucena Peña / Juan Ricardo Pérez Escamilla / Eduardo Pérez "Spooky" / Alejandra Petersen Castiello / Ganesh Prieto / Carolina Rendón / John B. Reuter / Jennifer Riley / Root Rises / Luis Rius Caso / Maricarmen Riveros / Fany Roa Zavala / Rubén Rubi Vida / Erandi Rubio Huertas / Salvador Rueda Smithers / Mario Humberto Ruz / Antonio Saborit / Olga Salgado / Silvia Salgado Ruelas / José Ramón San Cristóbal Larrea / Arturo Saucedo / Verónica Iraís Soriano Noguez / Ruri Takayanagi / Pablo Tamayo Castroparedes / Aurora Torres / Celia Torres / Mónica Torres / Carlos Uzcanga Gaona / Ana Catalina Valenzuela / Jessica Vargas / Danae Vargas Chávez / Roberto Velasco / Rodolfo Velasco Guevara / Najú Ventura Medina / María del Perpetuo Socorro Villarreal Escárrega

Particulares

El Instituto Nacional de Bellas Artes y Literatura, a través del Museo del Palacio de Bellas Artes, agradece el apoyo para realizar *Pasajero 21. El Japón de Tablada* a Amigos del Museo del Palacio de Bellas Artes y a Fundación Mary Street Jenkins.

Pasajero 21. El Japón de Tablada
se terminó de imprimir en el mes de
junio en los talleres de Offset Santiago
en la Ciudad de México. En su formación
se utilizaron tipografías de las familias:
Giacomo, Hiragino Kaku Gothic, Adobe
Jenson, Kozuka Mincho y Philosopher.
Se tiraron 3 000 ejemplares.
México. MMXIX.